FINEST 50
E-COMMERCE

DE VIJFTIG BESTE praktijkvoorbeelden
op het gebied van e-commerce **2011**

BY JUNGLE MINDS

UITGAVE

Beerens Business Press BV
www.bbp.nl

AUTEURS

Tim Besselink
Geert Jan Grimberg
Geert-Jan Smits
Bart ter Steege

PROJECTMANAGEMENT &
EINDREDACTIE
Mariëlle Heijmans

PRODUCTIE
Ray van Zeijst

VORMGEVING

Joke Falkenberg
Mariska Groeneveld-Kaandorp
Sandra de Groot-van der Meer

ISBN 9789076051352
NUR 980

© 2011, Beerens Business Press BV

Inhoud

Voorwoord

De zevende editie in uw handen

Voor je ligt een prachtig exemplaar van de nieuwe editie Finest Fifty e-commerce. Met veel enthousiasme hebben wij de vijftig meest vernieuwende en inspirerende praktijkvoorbeelden voor jou geselecteerd.

Op het moment dat we gaan zoeken naar nieuwe praktijkvoorbeelden, bekruipt ons altijd het gevoel: 'hoe krijgen we dit boekje in hemelsnaam weer gevuld.' Enkele maanden later is dat gevoel verdwenen. Dan we beseffen ons weer dat er in een jaar tijd zoveel is veranderd, dat het niet meer dan logisch is om weer een nieuwe editie op de markt te brengen.

Het is met de hulp van vele bevriende collega's, bloggers, klanten en criticasters dat we deze cases hebben kunnen schrijven. We zijn dan ook erg blij met de vele inzendingen die we ook dit jaar hebben mogen ontvangen.

De internetgebruiker zelf bleek de belangrijkste bron van inspiratie. Veel van onze kennis doen wij op door te luisteren en te kijken naar het gedrag van online consumenten en zakelijke gebruikers. Elke dag leren ze ons wat wel en niet werkt en welke innovatie kans van slagen heeft.

Vier hoofdstukken, 50 cases

We hebben het boek verdeeld in de vier stappen van het koopproces:

1. Reach: aanwezig zijn op locaties waar de doelgroep zich bevindt
2. Attract: trekken van relevante bezoekers naar het eigen domein
3. Convert: converteren van kijkers naar kopers
4. Retain: bedienen van bestaande klanten

Elke case behandelen we aan de hand van een screenshot en een toelichting. We proberen de case zo concreet mogelijk te beschrijven en geven – waar mogelijk – cijfers rondom het resultaat. Regelmatig komt een medewerker van de onderneming zelf aan het woord. Tenslotte geven wij enkele concrete tips.

Editie 2012

Mocht je suggesties hebben voor een praktijkcase voor de volgende editie, dan horen wij dat graag. Je kunt ons altijd bereiken via geertjan.smits@jungleminds.nl. Ook volgend jaar hopen we je weer te inspireren door de nieuwste ontwikkelingen op het gebied van e-commerce te beschrijven.

Wij wensen je veel leesplezier en inspiratie toe!

Amsterdam, januari 2011

Geert-Jan Smits, oprichter Jungle Minds

Overzicht van de vijftig
beste praktijkvoorbeelden

Thuiswinkelen vaker buitenshuis

Sommige revoluties geschieden in een dag, anderen doen er weken over en weer anderen hebben qua tempo meer weg van een evolutie. Al jaren wordt mobiel internet gezien als the next big thing. Gezien de snelheid is de mobiele revolutie eerder een evolutie, en dat die gaande is, staat vast. Dit heeft evenzeer gevolgen voor de thuiswinkelbranche.

Hoewel internet pas een paar decennia oud is, herhaalt de online geschiedenis zich nu al. Sinds de jaren negentig is het aantal Nederlanders met een internetaansluiting explosief gegroeid. Inmiddels telt Nederland bijna 14 miljoen internetgebruikers. Dat komt neer op een percentage van bijna 83 procent van de Nederlandse bevolking. Wereldwijd gezien doen alleen de Canadezen het beter met 84,6 procent.

Zo'n zelfde gebruikersexplosie is nu te zien bij mobiel internet. Najaar 2010 werd bekend dat 1 op de 5 Nederlanders gebruik maakt van mobiel internet. Dat is een stijging van bijna 50 procent vergeleken met het jaar daarvoor. Onderzoekers zeggen dat er maandelijks 75.000 mobiele internetabonnementen worden verkocht. Dat bevreemdt me niets: Bij een nieuw belabonnement voor een smartphone krijg je voor een paar euro extra internet erbij.

Mobile Apps om pizza te bestellen

Een mobiele internetaansluiting is natuurlijk nog geen m-commerce. Recent onderzoek van Forrester Research wees uit dat slechts 2 procent van de West-Europese ondervraagden producten aankoopt met hun mobiele device. (Ik vraag me overigens we af of digitale producten uit de App stores zijn meegerekend). Ook bleek uit dit onderzoek dat 16 procent van de online aankopers hun mobieltje gebruikte voor het aankoopproces: productinformatie zoeken, prijsvergelijken, bestelstatus controleren enzovoort. De Italianen, Zweden en Britten lopen hierin voorop.

Enkele grote e-commerce spelers rapporteren reeds flinke omzetten uit m-commerce. Zo zegt de online handelsplaats eBay in 2010 zo'n 1,5 tot 2 miljard dollar uit mobiele transacties te hebben gehaald. Amazon meldde medio vorig jaar voor het eerst de cijfers uit m-commerce. Die kwamen voor de 12 daaraan voorafgaande maanden uit op 1 miljard dollar. In Nederland neemt het aantal webwinkels met een mobiele versie ook toe. Je ziet een groeiend aantal e-commerce sites met een App, waarmee via de mobiel bijvoorbeeld bioscoopkaartjes of pizza's zijn te bestellen.

Betalen met iPads en game consoles

Naast de smartphone komen er steeds meer apparaten die connected zijn met internet. Om binnenshuis te beginnen: Denkt u aan game consoles, setupboxen en tv's. Inmiddels zijn er ook al koelkasten met 10 inch touchscreen en wifi op de markt. Buitenshuis zijn er onder andere de iPad, pda's, portable game consoles en autonavigatie. Deze nieuwe internetapparaten zorgen eveneens voor nieuwe dimensies voor kopen op afstand. De mobiele apparaten hebben een sterke focus op location based services. Een tv met internetverbinding daarentegen is weer ideaal om met het gehele gezin een vakantiebestemming uit te zoeken.

Een belangrijke uitdaging is het ontwikkelen van praktische en betrouwbare betaalmethoden voor al deze devices. iDEAL is in Nederland met naar schatting 45 miljoen transacties in 2010 veruit de meest gebruikte betaalmethode voor online aankopen. Voor mobiel betalen echter, is iDEAL in de huidige vorm minder geschikt. Met name vanwege het feit dat mensen dan altijd hun e-identifier op zak moeten hebben. Banken bekijken de mogelijkheden van een mobiele variant van iDEAL. Thuiswinkel.org denkt –net als 5 jaar geleden met de opstart van iDEAL- ook nu weer mee over wat webwinkeliers willen. De verwachting is dat deze mobiele versie dit jaar (2011) op de markt zal komen. Tot die tijd is mobiel betalen al wel mogelijk met bijvoorbeeld creditcard en PayPal.

Mobiel: het nieuwe thuiswinkelkanaal

Door de jaren heen heeft Thuiswinkel.org de verschillende thuiswinkelkanalen in omvang zien groeien en afnemen. Zo bedroeg de omzet van de totale thuiswinkelbranche 1,5 miljard euro in 2000. Daarvan kwam 'slechts' 312 miljoen euro uit online consumentenbestedingen. De zogeheten overige kanalen zoals catalogi, post en telefoon waren destijds goed voor 1,2 miljard euro. In 2009 waren deze 'overige kanalen' met een omzet van 500 miljoen euro een stuk minder belangrijk geworden voor de thuiswinkelbranche. Dit terwijl de omzet van het online kanaal 6,4 miljard euro was.

Met de komst van m-commerce is ook een opsplitsing van de online thuiswinkelcijfers op zijn plaats. Daarom neemt sinds 2010 de Thuiswinkel Markt Monitor, hét online onderzoek van Thuiswinkel.org, Blauw Research en GfK Retail & Technology, apart de cijfers voor het mobiele internetkanaal mee. Een verdere verfijning van onderzoeksresultaten voor m-commerce zal de komende jaren volgen.

Thuiswinkelen versus thuis winkelen: op afstand kopen komt dichterbij

Dit jaar bestaat de Nationale Thuiswinkel Awards 10 jaar. En ook zij innoveert met de markt mee. In het tweede lustrumjaar 2011 zal de vakjury voor het eerst een vakprijs uitreiken voor beste Mobiele Webshop.

'Thuiswinkelen' zal de komende jaren steeds vaker ook buitenshuis plaatsvinden. Internet en daarmee m-commerce zal in de auto of in de broekzak meereizen met zijn gebruikers. Daarmee wordt thuiswinkelen minder thuis winkelen, maar komt op afstand kopen steeds dichterbij de consument.

"You have to learn the rules of the game. And then you have to play better than anyone else." - Albert Einstein

Homo ludens – De spelende mens

Het spelen van spelletjes is al zo oud als de mensheid en bijna iedereen doet het. Voor kinderen is het een manier om zich spelenderwijs voor te bereiden op het toekomstige leven, om zich te ontwikkelen en te leren. Voor veel volwassenen is het een manier om te ontspannen en even de stress van het dagelijks leven van zich af te schudden. Sinds er computers zijn, worden die dus ook gebruikt om spelletjes op te spelen. Wat in 1975 begon met "Pong" als het allereerste computerspel is inmiddels uitgegroeid tot een markt van ruim 500 miljoen gebruikers die iedere maand online een spelletje spelen.

Nederlands succes in de online gamesmarkt

Het Nederlandse SPIL GAMES is pas sinds 2004 actief in online games. Inmiddels bezoeken iedere maand zo'n 130 miljoen gebruikers hun wereldwijde netwerk van 50 gamewebsites om er een spelletje te spelen. SPIL GAMES is een van de snelstgroeiende start-ups in Nederland, met ruim 250 medewerkers en kantoren in Hilversum, Shanghai, London, Neurenberg en Hamburg. In Nederland exploiteert het bedrijf de websites Spelletjes.nl, Spel.nl, Girlsgogames.nl en vullen ze het gehele games-kanaal op Hyves.nl.

Succes begint met een G: Gratis, Gemakkelijk en Gelokaliseerd

Het succes van SPIL GAMES is gebouwd rondom drie pijlers:
1. Gratis: Iedereen kan alle spelletjes gratis spelen. De omzet wordt gemaakt door advertenties te tonen op het moment dat een spel 'geladen' wordt;
2. Gemakkelijk: De websites zijn laagdrempelig opgezet. De navigatie is eenvoudig, de sites zeer snel en de spelletjes zelf zijn voor iedereen makkelijk te begrijpen;

3. Gelokaliseerd: SPIL GAMES opereert websites in 19 verschillende landen/taalgebieden. In ieder land is de gehele spelervaring volledig gelokaliseerd: Van lokale domeinnamen tot de games zelf die in de taal van de eindgebruiker beschikbaar zijn.

Door de elementen gratis, gemakkelijk en gelokaliseerd consistent door te voeren in de sites en de games, wordt een omgeving gecreëerd waar grote groepen gebruikers zich thuis voelen. In tegenstelling tot de traditionele doelgroep van *hardcore gamers* trekken de sites van SPIL GAMES voornamelijk mensen die af en toe een spelletje willen spelen. Kortom, in plaats van een niche-product is er focus op de massa-markt.

Social Games als groeimotor

Mensen zijn van nature sociale wezens en dus doen ze graag dingen samen. Afgelopen jaren zijn sociale netwerken snel gegroeid in populariteit. Sinds de opkomst van Facebook is het spelen van spelletjes binnen sociale netwerken definitief doorgebroken. Het bekendste spel op Facebook – FarmVille – heeft inmiddels meer dan 60 miljoen actieve gebruikers. Het succes van FarmVille bewijst dat mensen niet alleen graag online spelletjes willen spelen maar bovendien ook graag samen met vrienden willen spelen of hun vrienden willen laten delen in de spelervaring.

SPIL GAMES is al geruime tijd actief bezig met het uitbreiden van de game-ervaring buiten de eigen sites. Sinds mei 2010 vult SPIL GAMES het volledige gaming-kanaal op Hyves (hyves.nl/games). Daarnaast heeft het bedrijf "applicaties" gelanceerd op Facebook en StudioVZ, het grootste social network van Duitsland. Ook hier blijkt dat mensen graag samen spelen, want de populairste categorieën zijn de multiplayer games en social games. Dit zijn de spelletjes die gebruikers samen met eigen vrienden kunnen spelen.

Mobiel gaming platform

Als laatste stap in de strategie om het bereik buiten de eigen websites verder te laten groeien, heeft SPIL GAMES ervoor gekozen stevig in te zetten op de mobiele gaming markt. Smartphones ontwikkelen zich in rap tempo tot volwaardige gaming-platformen. Er woedt een hevige concurrentiestrijd tussen de operating systems van Google's Android en Apple's iOS. Juist door in te zetten op een nieuwe techniek die op beide platformen werkt - HTML5 - stelt SPIL GAMES zich onafhankelijk op. De 41 mobiele gamesites van het bedrijf bieden content die op beide omgevingen gespeeld kan worden. Hiermee heeft SPIL GAMES een open omgeving gecreëerd die rechtstreeks concurreert met de gesloten omgevingen van de App Stores.

Best practices

- TRANSPARANTIE: Maak duidelijk in de organisatie wat je strategie is, welke prioriteiten je stelt en wat je wilt bereiken. Als iedereen de "big picture" snapt en omarmt, kun je erop vertrouwen dat de juiste keuzes gemaakt worden.
- SNELHEID: In een snel groeiende markt is "time-to-market" extra belangrijk. Stel dus niet uit tot morgen wat je vandaag kunt doen. Perfectioneren leidt in veel gevallen tot onnodige vertraging. Het vinden van de juiste balans tussen snelheid en kwaliteit is essentieel.
- FOCUS: Pas als je keuzes maakt, kun je succesvol zijn. Kies welke kansen je wilt grijpen en dus ook welke je laat liggen.

Het gaat gebeuren, die portemobiel komt er. De koper zal het omarmen en de ontvanger ook. Beide partijen willen dat het laagdrempelig, gratis, gebruiksvriendelijk en veilig is. En nu is de uitdaging aan de partijen die het moeten organiseren om het met elkaar eens te worden. Banken en telecomproviders dus. Want laat er geen misverstand over ontstaan: net zoals er in Nederland maar één standaard voor de geld-eenheid (€) is zal er in de toekomst maar één standaard voor mobiel betalen zijn. Het is als met kooivechters: als er meerderen in dezelfde arena zijn slaan ze elkaar het kot uit totdat er eentje overblijft.

Na wat individueel geëxperimenteer in de banquaire marge (SMS, Rabomobiel, chipper) werd in september 2010 gemeld dat een aantal banken (ABN Amro, ING, Rabobank) en telecomproviders (KPN, T-Mobile, Vodafone) een intentieverklaring hebben getekend. Er wordt door betrokken partijen een gezamenlijk bedrijf opgericht. Even verder in het bericht staat: "Er gaat geen geld noch betaalinformatie naar de mobiele aanbieders". Er staat dus niet: "Er gaat geen geld noch informatie naar de mobiele aanbieders *noch naar de banken*". Werd dat vergeten? Of zit er een adder onder het gras? Gaan de banken voor iedere transactie geld vragen? Dat geld en die informatie gaan uiteindelijk toch wel naar de banken en mobiele aanbieders.
Ik zal het uitleggen.

Als een gemeente als Rotterdam de tour naar haar stad haalt wordt er gezegd dat het goed is voor de stad, dat het spektakel zeker enkele tientallen miljoenen euro's aan handel zal genereren. De kroegen zijn vol, de hotels overbezet, de Rotterdamse koopgoot drukker dan ooit en nog jarenlang praat iedereen over die rare bruggen over de Maas en stromen toeristen in grote getale toe. Het worden de economische effecten van een evenement genoemd.

Hetzelfde geldt voor een land, dat bezig is om zowel de Olympische spelen als het WK naar zich toe te trekken. Het is per saldo goed voor het land, vanwege de te verwachten 'economische effecten'.
Is het een drogredenering van machtsbeluste bestuurders? Of is het een voorspelling met grote waarschijnlijkheid? Wat zeker is: de kosten zijn hard en de opbrengsten zijn zacht. De tour, het WK, de Olympische spelen: het is koffiedik kijken.

Maar als één ding met grote waarschijnlijkheid kan worden voorspeld is dat het economisch effect van de portomobiel groot zal zijn. Als betalingen - ook heel kleine betalingen! - met groot gemak kunnen worden verricht, overal, veilig en zonder extra kosten dan is dat als de meest fijne kruipolie voor een economie. De radars zullen beter dan ooit tevoren in elkaar grijpen. Individuen die helemaal niet gewend waren te betalen zullen bereid zijn nu ook kleine betalingen te verrichten.

Het economisch effect van een ingeburgerd web van portemobielen zal aanzienlijk zijn; zo zullen banken en telecomproviders op de korte maar vooral op de lange termijn merkbaar profiteren van de verhitting van het mobiele geldverkeer.

Het gaat nog even duren, maar als het zo ver is zal het grote gevolgen hebben. Ook voor nieuwe toepassingen, op welk platform dan ook. Met een Finest Fifty kom je er niet meer. Begin 2013 - Jungle Minds bestaat dan 12,5 jaar - komt er een publicatie 'Finest-100-Mobile'. Het leeswerk kan worden aangeschaft met de portemobiel, en kan worden gelezen op de e-reader, en elke dag komt er een nieuwe pagina bij. Het wordt een beeldrijk feest.

DE VIJFTIG BESTE

praktijkvoorbeelden

op het gebied van

e-commerce

>> 2011

Reach

Reach is de online versie van de ouderwetse SRV-man: het gaat om daar zijn waar je klant zich bevindt. Steeds meer vormen sociale netwerken als Facebook en Hyves, de populaire berichtendienst Twitter en mobiele applicaties op telefoon en iPad de meest logische plek om interactie met de doelgroep aan te gaan. Dit uit zich in speciale Facebook stores (Charlotte Russe en Mark), salesgerichte Twitter accounts (promoted tweet), effectieve iPhone Apps (Barnes & Noble, Mango & Google Shopper) en voor iPad geoptimaliseerde webwinkels (Net-A-Porter). De tendens is duidelijk: daar waar mogelijk brengen retailers de winkel naar de gebruikers toe. Laat je inspireren door de absolute voorlopers in e-commerce!

>> **BART TER STEEGE** | Consultant Jungle Minds

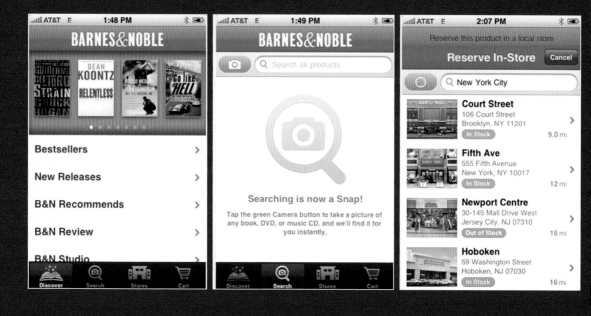

>> BEST PRACTICE TIPS

- Onderzoek de voordelen van een mobiele App (locatiegebonden diensten, camerafunctie) voor jouw business.
- Partijen die je kunnen helpen zijn onder meer XS2theWorld, IceMobile en The Saints.

Schiet een kiekje, koop een boekje

Barnes & Noble, de grootste boekenverkoper van de USA, biedt bestsellers tegen discount prijzen. Prijstransparantie is dus van groot belang. Daarom biedt de boekengigant naast haar offline verkooppunten ook een online store, een mobiele webwinkel en een iPhone App. Met deze App kunnen boekenwurmen boeken kopen, reviews lezen en interviews met auteurs bekijken. Hartstikke leuk maar dit kan uiteraard ook allemaal op de (mobiele) website. Waarom dan ook een App aanbieden? Omdat de App nog een hele mooi functie biedt.

De voordelen van Apps (deel 1)
Het grote verschil tussen mobiele websites en (op de telefoon geïnstalleerde) applicaties is dat Apps gebruik kunnen maken van de functionaliteiten van de mobiele telefoon. Denk hierbij aan GPS (locatie van de gebruiker), de microfoon en natuurlijk de camera. Met de App van Barnes & Noble kunnen gebruikers in de winkel van de concurrent met hun mobiel een foto maken van een boek of een DVD-hoes. Vervolgens herkent de App het product en geeft meteen de prijs bij Barnes & Nobles en de mogelijkheid het product te kopen. De functionaliteit is een typisch voorbeeld van hoe consumenten hun mobiele telefoon kunnen gebruiken om in de 'offline wereld' prijzen te vergelijken. Door slim gebruik te maken van de camera maakt Barnes & Noble het bovendien zeer eenvoudig. Gebruikers hoeven immers geen zoektermen in te typen en te zoeken. Zo kan Barnes & Noble de prijsbewuste lezer overtuigen het boek toch bij hun aan te schaffen. En mocht de lezer het boek toch liever offline willen aanschaffen dan wijst de App je ook nog eens de weg naar een Barnes & Noble filiaal in de buurt.

>> BEST PRACTICE TIPS

- Onderzoek de toegevoegde waarde die online kan hebben in je offline winkel: vaak kunnen simpele oplossingen zoals een gewoon scherm met internetverbinding al een grote toegevoegde waarde leveren voor de klant.

De online ervaring in de offline winkel

Lange tijd ging e-commerce om het zo goed mogelijk nabootsen van de offline winkelervaring. Ondertussen heeft de online retail zich zo ver ontwikkeld dat de online ervaring qua beleving, productassortiment, snelheid en gemak vaak meer te bieden heeft dan de 'old school' offline winkel. Om tot de optimale mix van offline en online te komen heeft Deutsche Bank de hulp ingeroepen van Microsoft Surface: een revolutionaire Multi touch computer die reageert op handbewegingen en objecten en die online content kan tonen. Een soort futuristische informatiezuil maar dan zo sexy als een iPad en zo groot als een tafel.

Der Zukunft der retail?

In Berlijn kunnen klanten van Deutsche Bank hun financiële zaken regelen in een bijzonder filiaal: Q110, 'Der Deutsche Bank der Zukunfkt'. In Q110 maakt Deutsche Bank gebruik van Microsoft Surface om klanten te adviseren over haar producten en diensten. Dankzij een speciale applicatie hebben relatiemanagers van Deutsche Bank via de 'interactieve tafel' toegang tot de producten en klantendatabase. Deutsche Bank gebruikt Surface om complexe financiële producten toe te lichten. Maar evengoed kan Surface een verkoper van een outdoorwinkel ondersteunen door die ene speciale kano in actie te tonen.

Nieuwe kansen voor offline retailers

Microsoft Surface is een goed voorbeeld van hoe offline retail steeds meer gebruik zal gaan maken van online toepassingen. Een interactief presentatiemedium met een zeer hoge gebruikerservaring levert voor veel retailers grote mogelijkheden op. Toon producten die niet voorradig zijn of toon mogelijke toepassingen van een product. Deutsche Bank is er zeer over te spreken: 'Microsoft Surface is een perfect voorbeeld van hoe innovatieve technologie de dialoog tussen klant en verkopen kan ondersteunen'.

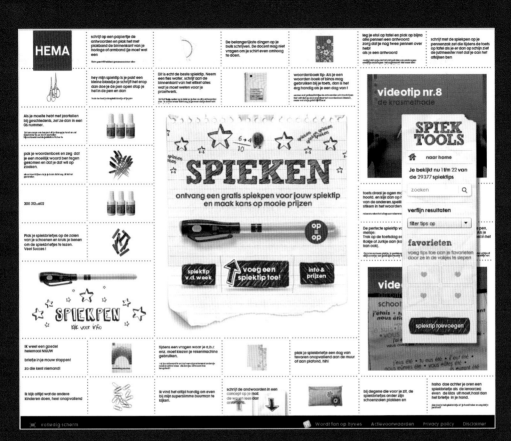

>> BEST PRACTICE TIPS

- Heb je ook offline winkels? Overweeg dan social media campagnes in te zetten om op het juiste retailmoment (bijv. Kerst of begin schooljaar) bezoek naar je winkels te trekken.

Van slim spieken wordt niemand dommer

Elke scholier spiekt zo nu en dan voor een goed cijfer. Deze gedachte was de insteek voor de nieuwe schoolcampagne van HEMA, zij het met een vette knipoog. Alles draait om de HEMA Spiekpen, een pen met onzichtbare inkt én een speciaal lampje om deze inkt zichtbaar te maken. Scholieren kunnen een spiektip uploaden. In ruil hiervoor krijgen scholieren een coupon waarmee ze een gratis Spiekpen kunnen ophalen in de winkel. Het doel van de campagne was ervoor te zorgen dat scholieren op het juiste commerciële moment (begin van het schooljaar) in de winkel aanwezig zouden zijn.

Hoe maak je een virale campagne succesvol?

De Spiekpen-campagne bleek een schot in de roos: de actiesite trok in 5 weken ruim 100.000 bezoekers (675.000 pageviews). Het geheim van het succes was de inzet van middelen om de campagne onder de aandacht te brengen: onder meer de HEMA brochure, de nieuwsbrief, in-store advertenties en een bannercampagne op Hyves werden ingezet. Vanaf daar vond de verdere verspreiding van de campagne plaats via de virale krachten van het internet. Gebruikers stuurden hun spiektips via een Hyves actiesite in. Vervolgens riepen zij vrienden op tot stemmen op de eigen spiektip. De tips werden gedeeld via Hyves, twitter of e-mail. De spiektip met de meeste stemmen werd beloond met de hoofdprijs en ook de spiektip van de week viel in de prijzen. Zo wist HEMA scholieren wekelijks te stimuleren spiektips te uploaden. Het resulteerde in meer dan 30.000 spiektips. En in de eerste 2 dagen werden er ruim 5.000 spiekpennen afgehaald in de HEMA.

>> BEST PRACTICE TIPS

- Overweeg een voor de iPad geoptimaliseerde versie van je webwinkel te ontwikkelen.
- Bekijk hoe je de webwinkel kunt verrijken met relevante redactionele content (eigen productie of via partners).

Blader door de winkel bij Net-a-Porter

Door sommigen bejubeld als een geniale vondst, door anderen afgedaan als niets meer dan een leuk speeltje: de Apple iPad is zonder twijfel het meest besproken apparaat van 2010. Maar wat betekent de komst van de iPad voor online retailers? Net-a-Porter, een hippe online modewinkel met maandelijks 2 miljoen bezoekers, lanceerde in de zomer van 2010 een eigen iPad App. In deze applicatie kunnen bezoekers artikelen lezen, producten bekijken en direct bestellen.

De meerwaarde van de iPad

Wat is nu het verschil tussen een gewone (mobiele) webshop en een iPad variant? Ten eerste heeft de iPad een groter scherm (vergeleken met een mobiele telefoon) en kunnen gebruikers gemakkelijk en intuïtief navigeren met behulp van het touch screen. Dit levert een totaal andere gebruikservaring en interactie met de content op. Producten kunnen in goede kwaliteit worden getoond en met een simpele vingerbeweging bekijkt de consument het product van alle kanten. Zo combineert de iPad de voordelen van mobiel (locatie gebonden diensten, touch screen) met de gebruiksvriendelijkheid van een laptop (groot scherm & snelheid).

De webwinkel als uitgever: content-commerce

De Net-a-Porter iPad applicatie oogt als een magazine: gemakkelijk bladeren shoppers door de artikelen. Zodra je een interessant product vindt dan sta je zo bij de kassa. Dankzij het grote scherm en de touch interactie vormt de iPad de brug tussen magazines en webwinkels. Daarmee neemt het belang van hoogwaardige content binnen de webwinkel enorm toe. De rol van de online retailer gaat steeds meer op die van een uitgever lijken. Het zal leiden tot nieuwe samenwerkingsverbanden tussen uitgevers en retailers. Deze ontwikkeling zal door de komst van de iPad in een stroomversnelling raken.

>> BEST PRACTICE TIPS

• Bedenk via welke digitale tijdschriften je je doelgroep kunt bereiken en wat de toekomstige mogelijkheden van tablets voor jouw business kunnen zijn.

AKO opent een filiaal op de iPad

AKO, naar eigen zeggen de leukste leeswinkel van Nederland, verkoopt sinds zomer 2010 tijdschriften via een eigen iPad-winkel. Lezers downloaden gratis de AKO applicatie en kunnen uit 20 tijdschriften kiezen. Doelstelling van AKO is abonnementsverkoop. Voorlopig verkoopt AKO hier alleen titels van moederbedrijf Audax (o.a. HP de Tijd, Vriendin en Weekend), maar op termijn worden ook titels van andere uitgeverijen aangeboden.

Het tijdschrift van de toekomst

In eerste instantie biedt AKO 'gewone', niet speciaal vormgegeven digitale versies van de tijdschriften aan. Maar uiteindelijk is het de bedoeling dat de iPad-versie van het magazine veel meer interactie gaat bieden dan de analoge tegenhanger. Want papier is natuurlijk leuk maar op een iPad zijn de mogelijkheden eindeloos. Het digitale tijdschrift van de toekomst zal een veel rijkere ervaring bieden met geïntegreerde video, locatie gebonden diensten, games en interactieve advertenties. Met name deze nieuwe advertentiemogelijkheden maken digitale tijdschriften zo interessant voor adverteerders. Omdat de iPad een internet verbinding heeft is een advertentie een rechtstreekse ingang tot de aankoop van een product. Daarmee komt de barrière tussen de advertentie en de online aankoop te vervallen.

De iPad als reddende engel van uitgevers

Terwijl inkomsten uit offline advertenties al jaren onder grote druk staan, kunnen 'performance based' advertentiemodellen in digitale tijdschriften uitkomst bieden. Voorlopig is de applicatie van AKO slechts een experiment om ervaring op te doen met het uitgeven op de iPad en om alvast een plek te veroveren op de iPad van de eerste tabletgebruikers. Maar misschien is de AKO iPad applicatie binnenkort wel de meest logische plek om je digitale tijdschrift aan te schaffen. En wellicht is het digitale tijdschrift binnenkort wel een nieuwe effectieve plek voor webwinkels om producten aan de man te brengen.

>> BEST PRACTICE TIPS

- Stel bij het selecteren van een e-commerce platform als vereiste dat producten en content gemakkelijk op zowel de eigen winkel als op externe platforms geplaatst en gewijzigd kunnen worden.

Charlotte Russe weet haar fans te vinden

Als marketeer stel je jezelf dagelijks de vraag: hoe en waar bereik ik mijn doelgroep? Zo ook Charlotte Russe, een Amerikaanse mode retailer die zich op jonge vrouwen richt. Het antwoord bleek verbluffend simpel: onze doelgroep zit op Facebook, vaak zelfs meerdere uren per dag. Voor Charlotte Russe reden genoeg om te experimenteren met de mogelijkheden van rechtstreekse verkoop op Facebook.

Facebook als e-commerce platform

In de zomer van 2010 bereikte Facebook de mijlpaal van een half miljard (!) gebruikers. De potentie van s'werelds grootste sociale netwerk wordt al door veel marketeers erkend maar de activiteit van online retailers blijft meestal beperkt tot een fanpage die doorlinkt naar de eigen webwinkel. Ondertussen heeft de actieve handel in virtuele goederen een aantal retailers gewezen op de e-commerce mogelijkheden die Facebook biedt. Zo opende 1-800-Flowers eerder al een Facebook winkel (zie Finest Fifty 2010) en zetten ook partijen als Disney en Procter & Gamble Facebook in als direct verkoopkanaal.

Maak van je grootste fan je beste klant

Online retailers streven altijd naar een gemakkelijke en naadloze winkelervaring. Waarom dan je klant naar jouw winkel sturen als je de winkel ook naar de klant kunt brengen? In de Facebook winkel van Charlotte Russe kunnen shoppers producten bekijken, direct kopen en gemakkelijk delen met vrienden. In feite is de Facebook winkel een kloon van de eigen webwinkel waardoor Charlotte Russe producten in de eigen shop en op Facebook in één beweging kan aanpassen. Bovendien blijkt een groot deel van de gebruikers Facebook mobiel te bezoeken waardoor de shop direct als mobiele webshop kan dienen. Zo vormt een Facebookshop een mooie kans om tegen een beperkte investering je bereik en aanwezigheid flink te vergroten.

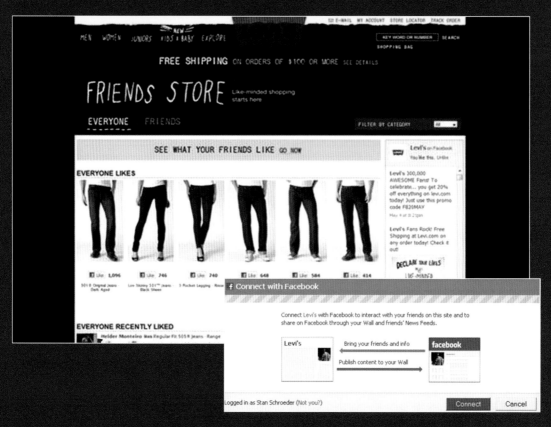

>> BEST PRACTICE TIPS

• Onderzoek hoe je sociale plugins kunt inzetten om je online bereik te vergroten.

Facebook als traffic provider

Dat sociale netwerken mooie mogelijkheden bieden voor online retailers maken de cases Charlotte Russe en Mark wel duidelijk. Beide merken zetten social media in als direct verkoopkanaal door de winkel aan te bieden binnen Facebook. Spijkerbroekenfabrikant Levi's kiest voor een andere benadering: zij brengt de winkel niet naar het sociale netwerk, zij haalt het sociale netwerk de winkel in.

De sociale plugins van Facebook
Deze nieuwe manier van social shopping wordt mogelijk gemaakt door Facebook Connect dat gebruikers in staat stelt bij websites in te loggen met hun Facebook account. Naast Connect biedt Facebook een aantal andere sociale plugins waaronder de 'Like-knop' waarmee gebruikers kunnen aangeven dat ze bepaalde content leuk vinden. Levis heeft de 'Like'-plugin in de webshop geïmplementeerd waardoor gebruikers in de shop kunnen aangeven dat ze een bepaalde spijkerbroek 'Liken'. Levi's maakt dankbaar gebruik van deze 'Likes' door bezoekers te tonen welke Levi's producten 'Top-Liked' zijn binnen hun eigen netwerk.

De Like-knop als virale verspreider
Levi's gebruikt de Like-knop om de producten in de eigen webshop relevanter te maken voor de klanten. Maar er is nog een ander groot voordeel aan de Like-knop. Zodra gebruikers een bepaald item 'Liken' wordt deze gedeeld op het Facebook profiel van de gebruiker. En daarmee verschijnt deze content ook in de newsfeed van alle Facebook vrienden van de gebruiker. Zo kan één 'Like' wel honderden Facebookers bereiken. Levi's ontving in april 2010 bijna een half miljoen unieke bezoekers waarvan 16% via Facebook binnen kwam. Daarmee genereert Facebook voor Levi's zelfs meer bezoek dan Google.

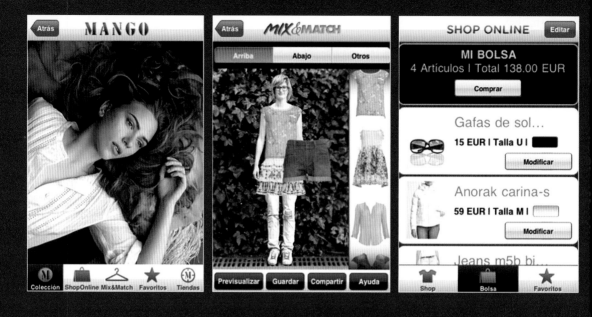

>> BEST PRACTICE TIPS

- Sta je voor de keuze tussen een App of een mobiele website, baseer je dan op de functionele vereisten (gebruik camera, GPS, etc) en de eisen qua performance, gebruiksfrequentie, kosten en vormgeving.

De mobiele paskamer van Mango

Leuk natuurlijk dat een jurkje goed staat bij een supermodel maar uiteindelijk wil je toch gewoon weten hoe het jou staat. Mango, een Spaanse modeketen, biedt uitkomst voor dit probleem. In de Mango iPhone App kunnen gebruikers zichzelf als paspop gebruiken. Het werkt buitengewoon simpel: je maakt een foto van jezelf en 'voila': je bent de Scarlett Johansson van je eigen mobiele webshop. En met een simpele vingerbeweging 'Mix & Match' je de ideale outfit.

De voordelen van Apps (deel 2)

Het aandeel van mobile-commerce in online retail neemt gestaag toe en de verwachting is dat dit aandeel nog veel groter wordt. Om deze reden richten steeds meer marketeers hun pijlen op mobiele websites en applicaties. Alhoewel de ontwikkeling van Apps gemiddeld kostbaarder is dan die van mobiele websites levert de keuze voor een App ook een aantal voordelen op. Doordat Mango haar mobiele webshop aanbiedt in een App (in plaats van een mobiele website) kan Mango slim gebruik maken van de camerafunctie van de telefoon (zie ook case Barnes & Noble). Daar komt bij dat Apps gemiddeld twee keer vaker worden gebruikt dan mobiele websites. Bovendien leveren Apps gemiddeld een snellere laadtijd, zijn ze (deels) offline beschikbaar en leveren ze meer ruimte voor eigen vormgeving.

De kleine stap van passen naar kopen

Naast de leuke 'paspop-functie' biedt Mango mobiele modeliefhebbers ook exclusieve korting, 'sneek-peaks' van nieuwe collecties en een uitvoerige mode-blog. Als je na al dat moois eenmaal je ideale outfit hebt samengesteld en gepast dan voeg je de gekozen producten eenvoudig toe aan je winkelmand. En fluitend wandel je door naar de mobiele kassa…

twitter | starbucks | Search | Advanced Search

Search results for **starbucks**   Save this search

 Starbucks On 4/15 bring in a reusable tumbler and we'll fill it with brewed coffee for free. Let's all switch from paper cups. http://bit.ly/9ZDP6N
about 8 hours ago via CoTweet by bradnelson
Promoted by Starbucks Coffee   ⊔ 100+ Retweets

 Joetweetea: @Kique_E na es que yo trabajo en **starbucks** y pues voy con ellos a recojer cafe :)
less than 20 seconds ago via *Twitter for BlackBerry*® · Reply · View Tweet · 💬 Show Conversation

aimmi_aim: I'm at **Starbucks** @ Nimman Ave.. http://4sq.com/aQYg4i
half a minute ago via *foursquare* · Reply · View Tweet

 regina_lee89: **Starbucks** Used Social Media to Get One Million to Stores in One Day - http://bit.ly/agV4Kh (expand)
half a minute ago via *tweetout1 0* · Reply · View Tweet

 PAZKAZVXX: **Starbucks** comes late. Nonetheless I still love its latte.
less than a minute ago via *Dabr* · Reply · View Tweet

📶 Feed for this query
ⅽ Tweet these results

Show tweets **written in**:
Any Language ▾

Translate to English

Trending topics:
Nobel Peace Prize
Liu Xiaobo
Vargas Llosa
Chinese dissident
#in10years
#newtwitter
#helloshineemb
BEAST WON
B2ST
Music Bank

Nifty queries:
cool filter links

≫ BEST PRACTICE TIPS

• Overweeg Twitter in te zetten als advertentiekanaal om op actuele wijze met je doelgroep te communiceren.

De 'Promoted Tweet' als advertentiemodel

In september 2010 rapporteerde Twitter 145 miljoen gebruikers. En met de enorme toename van het aantal Twitter gebruikers groeit de potentie van Twitter als platform voor merken en winkels om hun doelgroep te bereiken. Retailers twitteren kortingen en nieuwe producten de wereld in, verlenen hun klantenservice via Twitter (o.a. Nordstom & BestBuy) of doen volgers exclusieve aanbiedingen (Dell). In oktober 2010 kwam Twitter met een nieuwe advertentiemogelijkheid: de 'Promoted Tweet'.

Twitter als 'real-time' zoekmachine

Door de grote hoeveelheid berichten die elke minuut verschijnt heeft Twitter een enorme relevantie als 'real-time' zoekmachine. Via Google zoek je alles wat er over een bepaald onderwerp is geschreven en gezegd, via Twitter zie je wat er nu speelt. Begin 2010 verwerkte Twitter maandelijks 19 miljoen zoekopdrachten. Daarmee is Twitter de op Google (incl. Youtube) na meest gebruikte zoekmachine. Net als Google met Adwords gaat ook Twitter nu relevante 'advertentie-Tweets' plaatsen bij zoekopdrachten. Dus zodra een gebruiker bijvoorbeeld zoekt op 'koffie' verschijnen 'promoted tweets' van Starbucks. Twitter communiceert duidelijk dat het om een gesponsord bericht gaat maar verder is het een gewoon bericht waar gebruikers op kunnen reageren en kunnen 'Retweeten'.

De kansen voor adverteerders

De inkoop van deze gesponsorde berichten gaat volgens een veilingsysteem. Aanvankelijk kopen adverteerders in per 1.000 vertoonde berichten (CPM dus). Op termijn wil Twitter de prijs bepalen aan de hand van het aantal kliks, reacties en 'Retweets'. De dienst is nog erg nieuw dus het effect van 'Promoted Tweets' is nog onduidelijk maar het is een slimme manier om op gerichte en relevante wijze je doelgroep te bereiken. Grote adverteerders als Starbucks, Best Buy en Virgin America zijn in ieder geval al enthousiast over de dienst en hebben hun eerste 'advertentiestappen' op Twitter al gezet.

>> BEST PRACTICE TIPS

- Zet je bestaande klanten in als affiliates door ze, in ruil voor korting, nieuwe klanten aan te laten dragen.
- Onderzoek op welke sociale netwerken je doelgroep actief is en hoe je via deze netwerken nieuwe klanten kunt werven.

Direct marketing, maar dan wel 'Social'

Het is eigenlijk nog maar kort geleden dat je bijna wekelijks een encyclopedieverkoper aan de deur had. Zo'n vertegenwoordiger die je het eerste deel Winkler Prins voor een zacht prijsje verkocht en je daar niet bij vertelde dat de volgende 24 delen een vermogen zouden kosten. Die vorm van 'Direct Marketing' ligt gelukkig achter ons maar dat betekent niet dat het principe van persoonlijke verkoop door vertegenwoordigers niet meer werkt. Mark, een cosmeticamerk gericht op jongeren, past deze strategie al jaren succesvol toe. Mark laat jonge vertegenwoordigers tegen een 'performance based' vergoeding cosmetica verkopen aan vrienden en familie. Alleen gaat Mark niet van deur tot deur. Mark kiest een iets modernere aanpak.

Facebook als wereldwijde Tupperware-party

Als je cosmetica probeert te verkopen aan jonge vrouwen dan is het een logische keuze je te richten op Facebook. Met behulp van een speciale Facebook winkel maakt Mark van Facebook een Tupperware-party met een half miljard potentiële klanten. Vertegenwoordigers zijn zo in staat cosmetica te verkopen aan vrienden op Facebook. Ze werven via hun eigen sociale netwerk klanten die vervolgens kunnen kiezen en kopen zonder Facebook te verlaten. Bij het afrekenen vullen klanten een kortingcode in die ze van hun vertegenwoordiger krijgen en zo weet Mark wie ze kunnen bedanken voor de gerealiseerde omzet. Een simpel principe slim toegepast op Facebook. Ook heeft Mark de papieren catalogus vervangen door een speciale iPhone App waarmee vertegenwoordigers hun klanten producten kunnen laten zien. Zo zie je maar: de principes van marketing blijven intact, alleen de manier waarop ze worden toegepast verandert constant.

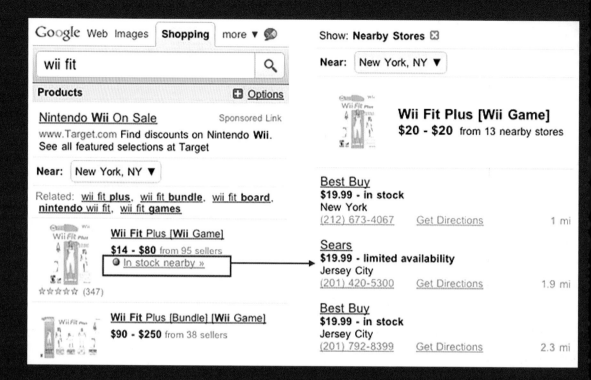

>> BEST PRACTICE TIPS

• Onderzoek de mogelijkheden om je eigen actuele voorraadstatus te communiceren, zowel op je eigen website als op externe platforms (via datafeeds).

Google shopper checkt de voorraad

Ben je net door de stromende regen naar de winkel gefietst voor een nieuw regenpak, zijn ze uitverkocht. Dit hoeft je niet meer te gebeuren, althans, als je in de Verenigde Staten woont. Daar kan je gebruik maken van Google Shopper: een mobiele App waarmee je producten kan zoeken en prijzen kan vergelijken. De applicatie werkt zoals sites als beslist.nl en kieskeurig.nl: Google Shopper vergelijkt prijzen en genereert zo bezoek voor webwinkels. In ruil hiervoor krijgt Google een vergoeding. Het bijzondere is echter dat de App naast de online aanbieders ook toont waar je het product bij jou in de buurt offline kunt krijgen. Bovendien checkt Google of het product voorradig is.

Lokale relevantie, real time inzicht

Doordat Google Shopper je locatie kent, toont de applicatie alleen het offline aanbod bij jou in de buurt. En omdat retailers hun actuele voorraad via Google Shopper ontsluiten, voorkomen ze teleurgestelde klanten die er pas in de winkel achterkomen dat het product is uitverkocht. Google speelt met deze functionaliteit in op een ontwikkeling die voor de hele online retail geldt: klanten verwachten 'real time' en 'lokaal relevante' informatie. Deze 'locatie relevantie' zien we terug in verschillende locatie gebonden diensten die worden ontwikkeld, onder meer in sociale netwerken als Facebook, Twitter en Foursquare (zie case Ann Taylor). De actuele voorraadstatus zien we in steeds meer webwinkels terug. Onderzoek toont aan dat consumenten actueel inzicht zeer waarderen en dat het conversieverhogend werkt. De introductie van de nieuwe applicatie van Google toont aan dat ook voor mobile-commerce geldt dat real time inzicht snel een basisvereiste zal zijn.

Attract

Online marketing is en blijft een boeiend vakgebied. Bestaande technieken als e-mailmarketing, online advertising, affiliate marketing en viral marketing zijn continu in beweging. Campagnes worden real time, beter getarget en persoonlijk. En nieuwe technieken dienen zich aan: re-targeting, social sharing binnen e-mailmarketing en Appvertising. De cases van onder meer HappyBee, Neutral en BudgetAir zullen je zeker inspireren om meer en beter gekwalificeerde bezoekers en leads te verkrijgen.

Veel leesplezier gewenst.

>> GEERT-JAN SMITS | Partner & Oprichter Jungle Minds

>> BEST PRACTICE TIPS

- Bevinden zich in je doelgroep veel gebruikers van smartphones? Overweeg dan te adverteren in mobiele Apps.
  Het bereik is groot, de kosten nog te overzien.

Succesvol adverteren in Apps

In 2010 werden wereldwijd meer dan vijf miljard Apps gedownload. Ons eigen Nederland telt al vier miljoen actieve gebruikers van mobiel internet. Daarmee mag je toch wel stellen dat een kritieke mobiele massa is bereikt. Gebruikers van smartphones blijken een onstilbare honger te hebben voor het downloaden van Apps. En ze worden op hun wenken bediend, want voor alle toestellen heb je digitale App-winkeltjes; voor de iPhone, maar ook voor de Android, Palm, Blackberry en Nokia. Hoog tijd om te onderzoeken of je succesvol kunt adverteren in Apps. De voordelen zijn in ieder geval legio. Naast het enorme bereik is het persoonlijke karakter van de mobiele telefoon en de App erg interessant. Zo kun je als adverteerder specifiek targeten op type telefoon, leeftijd, geslacht, locatie en doelgroep.

Apple springt erboven op

Apple springt in op de trend met haar in 2010 gelanceerde iAd programma. Om het adverteren zo effectief mogelijk te maken, bestudeert Apple het koopgedrag van 150 miljoen iTunes gebruikers, waarmee je de mobiele advertenties optimaal kunt targeten. Het platform is inmiddels ook geschikt gemaakt voor iPads.

Sanoma ruikt haar kansen

Ook Sanoma heeft de potentie van Appvertising ontdekt met haar 75 miljoen page views (maandelijks) op het mobiele web. In haar populaire Apps kun je naar hartelust adverteren. Zo ook op Nu.nl waar Achmea adverteert met een video. Op het moment van schrijven kun je als adverteerder aanwezig zijn op meer dan 20 Apps, de meeste geschikt voor de iPhone (en een enkele voor Android). De attentiewaarde voor de advertentie blijkt hoog. De click through rate (CTR) van een mobiele advertentie ligt tussen de 0,5% en 2% en dat is bovengemiddeld. Tijd om actie te ondernemen?

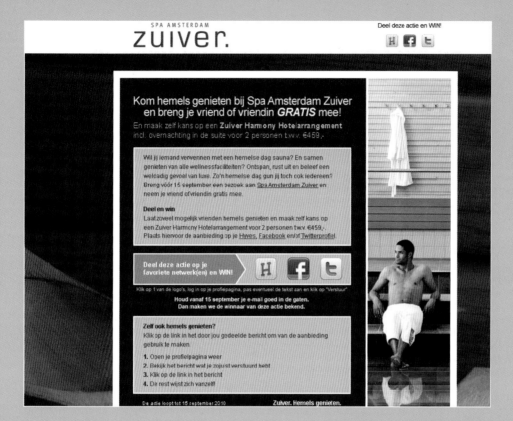

>> BEST PRACTICE TIPS

- Spoor je nieuwsbrieflezers aan om berichten of aanbiedingen actief te delen via sociale netwerken.
- Zorg dat de share-functie opvalt en koppel er een incentive aan (zoals in deze case: de kans op een hotelarrangement).

Social sharing: zaaien om meer te kunnen oogsten

'Een koe zonder stier heeft weinig plezier', zo vertelde mijn buurman uit Schalkhaar me ooit. Een boerenwijsheid die zich gemakkelijk laat vertalen naar de online wereld. Zo blijken e-mail en social media veel plezier aan elkaar te kunnen beleven. Een nieuwsbrieflezer krijgt steeds vaker de mogelijkheid een bericht of aanbieding uit de nieuwsbrief te delen met zijn eigen sociale netwerk (social sharing genaamd). Deze 'deel-functie' van social media heeft een positief effect op het bereik en het rendement van e-mailmarketing.

De geheime bestanddelen ontrafeld

OMG/Media (initiatiefnemer), Urbanology, Tripolis en SBS zijn gezamenlijk een test gestart om de effecten van social sharing op e-mailmarketing vast te stellen. Ze hebben een e-mailcampagne opgezet voor Spa Amsterdam Zuiver (zie screenshot), met het doel een grotere groep mensen te bereiken en een hogere conversie naar reserveringen te behalen voor het saunaparadijs.

De resultaten van de test zijn verbluffend. Er is dan ook meer gedaan dan het simpel plaatsen van de Facebook, Twitter en Hyves icoontjes in de actiemail. Allereerst kan de ontvanger van de e-mail alleen gebruik maken van de aanbieding nadat hij deze eerst op Hyves, Facebook of Twitter heeft geplaatst. Want in dit bericht / tweet staat de link naar de actiepagina. Een geniale vondst. Daarnaast is de mogelijkheid tot doorplaatsen van de actie overal aanwezig: in de actiemail, op de bedankpagina en in de bevestigingsmail. De conversie ligt 7 keer hoger met social sharing opties dan de campagne zonder doorplaatsmogelijkheid. Dit kwam vooral door de grote toename van het bereik met social sharing.

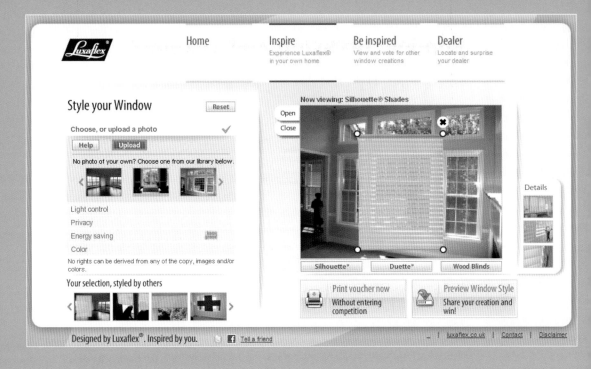

>> BEST PRACTICE TIPS

- Onderzoek de mogelijkheid om je doelgroep te laten experimenteren met je producten. Zeker als je producten verkoopt die het best tot hun recht komen als ze in context worden getoond: kleding (op je lichaam), woonproducten (in je huis), sieraden (op je lichaam).

Window dressing met Luxaflex

Wie is er niet opgegroeid met de Billy van IKEA, de Gourmetset van Tefal en de raamdecoratie van Luxaflex? De afgelopen jaren is het assortiment van deze lichtinvalregelaar enorm uitgebreid en vernieuwd. Tijd om de consument opnieuw kennis te laten maken met het bedrijf en het productassortiment.

Gekwalificeerde leads voor dealers

Luxaflex ontwikkelde samen met Yourzine de actiesite 'Style Your Window.' De bezoeker kan een foto van zijn eigen raam uploaden (of een bestaand voorbeeld gebruiken), en deze vervolgens online aankleden met een Luxaflexproduct naar keuze. Zo ontstaat een realistisch beeld van hoe het er thuis uit komt te zien. De consument kan een coupon met raamafbeelding printen. Tegelijkertijd krijgt hij de dichtstbijzijnde dealers te zien en kan zo goed geïnformeerd op pad gaan…

Viraal bereik vergroten

De creatieveling kan de foto opslaan en plaatsen in de galerij. Vervolgens kunnen inspiratiezoekers hun stem uitbrengen op de creaties, aangewakkerd via uitnodigingen op social media. En uiteraard wint maandelijks de persoon met de meeste stemmen een prijs in de vorm van een Luxaflex product.

Nederlands succes krijgt vervolg

De Nederlandse campagne werd een succes. De actiesite trok meer dan 135.000 unieke bezoekers in drie maanden tijd. In totaal zijn de geüploade ramen 365.000 keer bekeken. Het sociale effect werd ook zichtbaar: 32% van het bezoek kwam binnen via social media en verwijzende websites. En het belangrijkste: de lokale dealers merkten daadwerkelijk een verschil in aanvragen. In navolging van het Nederlandse succes is de campagne uitgerold in Engeland, Frankrijk, België en Duitsland.

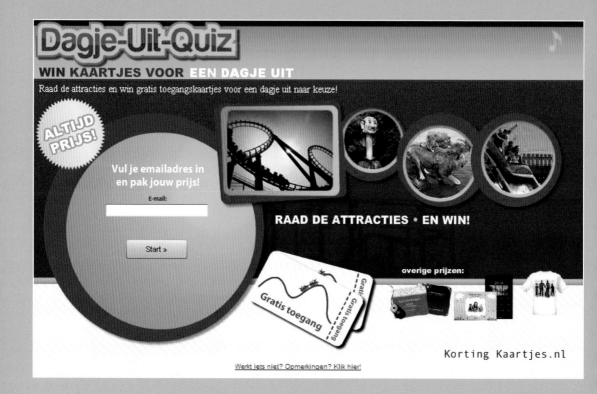

>> BEST PRACTICE TIPS

- Zorg dat het spel / de campagne aansluit bij je producten, zo garandeer je dat je een relevante doelgroep aanspreekt. Doe daarom niet mee met 'algemene campagnes' waaraan te diverse partijen deelnemen.
- Zorg dat je het organiserende bureau alleen betaalt voor een geleverde registratie (100% performance based) die voldoet aan de vooraf overeengekomen criteria.
- Vergelijk de verkregen e-mailadressen met je eigen e-mailbestand en 'ontdubbel'. Betaal alleen voor nieuwe registraties.

Slimme aanpak om je e-mailbestand te vergroten

Je hebt vast wel eens een e-mail ontvangen uit het immer zonnige Angola met de aanbieding 2 miljoen e-mailadressen te verkrijgen voor het luttele bedrag van 10 dollar. Een verstandige aankoop? Mogelijk als je viagra verkoopt, maar voor de gemiddelde marketeer een waardeloze investering. Het is de uitdaging relevante e-mailadressen (registraties met double opt-in bevestiging) te verzamelen van consumenten of bedrijven die werkelijk geïnteresseerd zijn in je producten en diensten. Clansman is een Nederlandse partij die je helpt bij de inzamelactie.

Dagje-uit-quiz levert 290.000 deelnemers
Voor twee organisaties in de toeristische sector; Kortingkaartjes.nl en Emesa ontwikkelde Clansman de Dagje-uit-quiz. De bezoeker laat een e-mailadres achter op een actiepagina en ontvangt vervolgens een bevestigingsbericht in de inbox. Hierin staat een linkje die je brengt naar de webpagina waar je de quiz kan spelen (en kan winnen). Vervolgens besluit de deelnemer akkoord te gaan met de voorwaarden en het feit dat hij zich abonneert op de nieuwsbrief van de twee deelnemende organisaties.

Om de quiz onder de aandacht te brengen en bezoekers te trekken zijn diverse e-mailbestanden ingezet. Ook is de campagne uitgezet op 20 verschillende online media als ook op de deelnemende websites. Tot slot is geadverteerd op Facebook. Dit alles resulteerde in een tijdsbestek van drie maanden in 290.000 double opt-in registraties.

>> BEST PRACTICE TIPS

- Verstuur na het verkrijgen van een e-mailadres altijd een welkomstnieuwsbrief waarin je refereert aan de campagne. Noem hier de voordelen van het lidmaatschap.
- Zorg dat inschrijvingen altijd double opt-in zijn: de deelnemer bevestigt de inschrijving dan expliciet.
- Zorg dat deelnemers zich altijd eenvoudig kunnen afmelden op je nieuwsbrief (hoe eenvoudiger je je kan afmelden, des te langer je blijft ingeschreven).

Dromen van Disney komen uit

Elke webshop wil zo veel mogelijk enthousiaste lezers voor haar nieuwsbrieven die uiteindelijk zorgen voor vele nieuwe aankopen. Een goed gevulde e-maildatabase is zeker iets om na te streven. Je kunt hiervoor een extern bureau inschakelen (zie case Kortingkaartjes) of zelf aan de slag gaan, zoals Happybee dat deed. Zij vonden een prachtige 'premium sponsor' voor hun campagne: The Walt Disney Company, die graag haar nieuwe Bolt DVD wilde promoten en nieuwe nieuwsbrieflezers wilde genereren. Het hoofdkantoor van Donald Duck stelde een arrangement voor Disneyland Parijs ter beschikking om de campagne aan te jagen.

Een slimme Disney campagne oogst resultaat

De bezoeker prikt ballonnen kapot en vult daarna zijn gegevens in om kans te maken op een van de prijzen. Vervolgens ontvangt de deelnemer een e-mail met daarin een bevestigingslink. Door op de link te klikken bevestigt de persoon deelname aan het spel en geeft hij toestemming om de nieuwsbrief van de deelnemende partijen te ontvangen. Om het bezoek aan te jagen werd de campagne gepromoot bij het ledenbestand van Happybee. Daarnaast is affiliate marketing ingezet (pay for performance: € 0,85 per registratie).

De cijfers liegen er niet om. De campagne trok in 4,5 maand tijd 230.000 unieke bezoekers en genereerde 80.000 double opt-in nieuwsbriefinschrijvingen inclusief profielen (NAW) en gegevens van eventuele kinderen (naam, geslacht en geboortedatum). Dat de campagne goed aansloot op de doelgroep blijkt uit het feit dat zeven maanden na de campagne nog steeds 81% van de gegenereerde abonnees wordt bereikt.

>> BEST PRACTICE TIPS

- Stresstest: voer een test uit om zeker te zijn dat de hele campagne-infrastructuur (database, website, server, netwerk, banners) bestand is tegen een groot aantal bezoekers. Het real time opvragen van data kost veel server- en netwerkcapaciteit.
- Koop je bereik (bannerruimte) in korte periodes van bijvoorbeeld twee weken en stel je media inkoop bij aan de hand van de behaalde resultaten (CTR, CPC, CPM en CPL).

Real time auto's verkopen op internet

Om de actuele dealervoorraad te reduceren bedacht Chrysler Nederland BV samen met eFocus en FHV-BBDO een campagne. Hiervoor werd de actiesite Goseethedealer.nl opgetuigd met daarop de actuele voorraad aan auto's van de dealers. De actiesite garandeerde nieuwe auto's op voorraad voor de scherpste prijzen.

Real time voorraden in banners verwerkt

eFocus ontwikkelde een aantal dynamische XML-banners die real time de nog beschikbare auto's tonen. In de banner werden de afbeelding en de specificaties van een individuele auto geplaatst en kon door het aanbod van auto's worden genavigeerd. De banners werden op een imposant aantal media verspreid. Het is interessant te kijken naar de verschillen in resultaat.

Radio was het promotiemiddel voor de actiesite. Er werd geadverteerd op autosites als Autotrack, Autotrader en Autoweek. Daarnaast op Marktplaats Admarkt en werd er onverkochte bannerruimte ingekocht via de Right Media Exchange. Maar natuurlijk ook op Google Adwords en Youtube. Klapstuk van de campagne vormde een homepage takeover van Nu.nl met een speciale 'skybox', waarmee de laatste 10 dagen van de campagne werden aangekondigd. Interessant dat Youtube een hoge doorklikratio had, maar tegelijkertijd ook het duurst bleek te zijn per klik. Adwords en de Right Media Exchange waren in dit geval de meest kostenefficiënte media op basis van de prijs per lead (CPL). De campagne werd een succes en Chrysler verkocht hierdoor in enkele weken 857 nieuwe auto's.

Neutral®
0% parfum, 0% kleurstof

Krijg jij de kriebels van parfum?

Veel producten bevatten parfum
terwijl je dat misschien helemaal
niet prettig vindt.

Kriebelwijzer

Wijs het aan en ontvang tips en
een gratis proefproduct

Bekijk kriebelwijzer

Parfumteller

Hoeveel parfum gebruik jij? Tel
het na en vergelijk jezelf met de
rest van Nederland

Tel het nu

DOE DE TEST!

En maak kans op een **gratis** Neutral pakket.

Gratis proefproduct

Vraag een gratis setje
proefproducten aan

Kortingscoupon

Ontvang 30% korting op een
Neutral product bij Kruidvat
en Trekpleister.

Over
parfuminderen

Waarom is parfuminderen
belangrijk?

>> BEST PRACTICE TIPS

- Wees secuur in het vaststellen van de set aan websites waarop je advertentie wordt getoond; alles draait om targeting.
- Bekijk in hoeverre je het budget hebt om crossmediaal te adverteren, dit werkt versterkend voor naamsbekendheid en herkenning.

Een best practice case zonder luchtje

Weet je eigenlijk hoe vaak je per dag in aanraking komt met parfum? De gemiddelde Nederlander zo'n 12 keer. En daar krijgt een aantal van ons kriebels, rode vlekken of andere allergieën van. Een gegeven waar het merk Neutral van Sara Lee slim op inspeelt.

Jongens, kan het wat minder?
Neutral heeft samen met OMD en WebAds een campagne ontwikkeld om mensen bewust te maken van de hoeveelheid parfum die men dagelijks gebruikt. De campagne was ruimschoots te zien op televisie. Aansluitend is online geadverteerd met banners om bezoek te genereren naar de actiesite parfuminderen.nl. De campagne was gericht op vrouwen en gezinnen.

Bannertistics
De banners zijn in totaal 5,5 miljoen keer vertoond. Opvallend is dat de doorklikratio van de advertenties op websites getarget binnen de categorie 'Gezin' twee keer hoger was dan die van de veel bredere categorie 'Boodschappers 20-49.' Tevens is specifiek het Umfeld van de sites Babyinfo, Mamaenzo en Gezondheidsplein ingezet. Deze blijken zelfs een vier keer hogere doorklikratio te genereren dan de bredere categorie 'Boodschappers 20-49'. Bovenstaande resultaten tonen aan dat alles draait om targeting. Hoe beter je een specifieke doelgroep online weet te bereiken, des te hoger is het effect in termen van doorkliks, conversie en/of bezoek.

Televisie en online: een lekker stel
MeMo2 heeft in opdracht van WebAds de effecten onderzocht van de campagne. Het interessante is dat de spontane naamsbekendheid met 36% toeneemt wanneer TV reclame en online reclame samen worden ingezet, vergeleken met alleen TV. Dit bevestigt dat traditionele media en online niet alleen prima samengaan, maar zelfs een prachtig huwelijk vormen!

WWW.NEUTRAL.NL/PARFUMINDEREN

>> BEST PRACTICE TIPS

- Houd je virale campagne eenvoudig. Zorg dat je de campagne in een zin kunt uitleggen.
- Denk vanuit de doelgroep: heeft de doelgroep er iets aan? Plaats je eigen doelstellingen op de tweede plaats.
- Speel in op onderwerpen die de gehele doelgroep aanspreken en die actueel zijn, dan wordt het virale effect groter.
- Blijf proberen. Gemiddeld slaagt 1 op de 10 virale campagnes.

Het nieuwe formaat banner:
50x25 meter

Het idee ontstond min of meer toevallig bij het online reclamebureau .bone. Het WK voetbal naderde en enkele medewerkers vonden het een schande dat er maar weinig oranje supporters naar Zuid Afrika zouden gaan. Terwijl het WK-organiserende land normaal gesproken wordt overspoeld door de befaamde Oranjezee aan fans. Hier viel iets ludieks en viraals voor te bedenken.

De grootste banner van de wereld

Het bureau bleef dicht bij haar roots en bedacht een megagroot stadionspandoek waar Oranjefans hun foto op konden zetten om zo het gevoel te hebben erbij te zijn. De bijbehorende website waar je de foto kon uploaden, werd in de avonduurtjes gebouwd. De actie werd een succes: In 10 dagen tijd werden 16.428 foto's geupload. Het mooie was dat er nul harde euro's werden uitgegeven ter promotie van de campagne. Wel kwam er de nodige gratis publiciteit vanuit programma's als Hart van Nederland, Radio 538, Slam FM, De Telegraaf en het AD. De geschatte mediawaarde van deze publiciteit bedraagt 600.000 euro. Uiteraard kon je de actie delen via Twitter, Facebook en Hyves. En was er de send-a-friend functie. Uiteindelijk werd het spandoek uitgerold tijdens Nederland-Japan en Nederland-Brazilie, waarmee er tijdens deze wedstrijden opeens 16.428 Oranjefans bijkwamen. De campagne was een succes en heeft .bone zeker geen windeieren gelegd in termen van nieuwe klanten en extra omzet.

>> BEST PRACTICE TIPS

- Stel van te voren vast hoeveel je maximaal bereid bent te betalen voor een conversie. Bepaal dit per campagne / productcategorie. Gebruik vervolgens Google Conversion Optimizer om automatische biedingen te genereren.
- Ontwikkel zo veel mogelijk specifieke landing pages. Test voordat je deze allemaal uitrolt, eerst verschillende varianten en gebruik de best converterende.

Glashelder adverteren op Adwords

Thuisinglas is een landelijk opererende organisatie met tientallen deelnemende glasspecialisten. De bedrijven die bij Thuisinglas zijn aangesloten leveren en plaatsen alle soorten glas en spiegels in heel Nederland. Gladior is het bedrijf dat Thuisinglas helpt met het trekken van geïnteresseerde bezoekers naar de website, met als doel aanvragen voor offertes te genereren. De focus in deze case ligt op de slimme combinatie van adverteren op Google Adwords en een set Google vriendelijke landing pages, continu geoptimaliseerd met behulp van Google Analytics.

Sturen op conversie
Er is een uitgebreide Google Adwords campagne ingezet. Op meer dan 800 woorden worden bezoekers verleid een kijkje te nemen op de website. De woorden zijn verdeeld over 17 advertentiegroepen. Per advertentiegroep is vastgesteld wat een conversie mag kosten: rond de 5 euro. Vervolgens is Google Conversion Optimizer gebruikt. Dit systeem genereert geautomatiseerd kost-per-klik biedingen voor elke campagne. Google berekent real time de maximale klikprijs, gebaseerd op actuele conversiecijfers. Hiermee voorkom je dat conversies meer kosten dan ze opleveren. Voorwaarde is wel dat er in een periode van 30 dagen minimaal 15 conversies zijn gerealiseerd.

Laat ze landen
In totaal zijn 163 landing pages ontwikkeld. Een effectieve landing page moet twee dingen doen: goed vindbaar zijn in de zoekmachines en de bezoeker snel leiden naar de gewenste actie. Er is uitgebreid getest welke landing page het best converteerde naar aanvragen van een offerte. Tevens is de interne linkstructuur aangepast met als doel de belangrijkste zoektermen een betere positie te geven in de zoekresultaten van Google. Via de SEO- en de SEA-campagne zijn de maandelijkse offerte-aanvragen opgelopen naar ruim 1.000 per maand.

>> BEST PRACTICE TIPS

- Zorg bij affiliate marketing allereerst voor aantrekkelijke acties: korting, voordeel, cadeautje. Prikkel je doelgroep, daar zijn ze gek op.
- Zorg voor advertentiemiddelen die up-to-date zijn en in meerdere formats beschikbaar zijn: banners, tekstlinks, deeplinks en datafeeds.
- Bied je affiliates een concurrerende staffelcommissie (meer verkopen = hogere commissie).

De wederverkoper in het zonnetje

Bij affiliate marketing vergoed je als webwinkel (adverteerder) voor elke verkoop die een wederverkoper (affiliate) voor je realiseert. Je maakt daarbij in de regel gebruik van een affiliate netwerk. BudgetAir werkt samen bij Zanox die de affiliates aansluit, de 'tracking' verzorgt en de betaling van de commissies voor zijn rekening neemt.

Wil het beste advertentieformat opstaan?

BudgetAir (een merk van een van de grootste online ticketaanbieders van Nederland) kende in 2010 een enorme groei in bezoek. Daarvan kwam ongeveer een derde tot stand door het affiliate netwerk van Zanox. Voor BudgetAir zijn advertentiemiddelen in diverse formats aangeboden: banners, tekstlinks en datafeeds. Met inzet van datafeeds kun je actuele content op de website van een affiliate tonen. In het geval van BudgetAir is de eerste stap van het boekingsproces middels datafeeds in de banner verwerkt. Deze vorm van adverteren bleek verreweg het beste te converteren. Het mooie van datafeeds is dat er een directe koppeling bestaat met de database van de webshop. Zo kun je bij affiliates actuele prijzen en voorraden tonen, de basisingrediënten van conversie.

Je moet ze wel vertroetelen

'Onthoud dat affiliates geen consumenten zijn, maar resellers', aldus Yotang Pat van Zanox. 'Het zijn salespartners. Je moet als webshop je affiliates enthousiast maken om actief voor je te gaan verkopen. Er zijn drie heilige c's binnen affiliate marketing: conversie, commissie, en communicatie.' Verder blijkt het voor affiliates belangrijk dat ze de zekerheid hebben dat je als webshop transacties tijdig goedkeurt en rapido uitbetaalt.

Debenhams: The British Invasion

This is the official blog of Polyvore.com - the best place to discover or start fashion trends. Browse and shop looks created by a global community of independent trendsetters and stylists. Our blog highlights top trends and top users from the Polyvore community.

All collages featured on our blog have been created by the Polyvore community using the Editor. Get started on Polyvore by creating your

Khaki biker detail skinny jeans
30 GBP **24 EUR (21 GBP)** – debenhams.com
More sets with this item »
More H! by Henry Holland jeans »

Ways To Blog With Polyvore
Polyvore Set Layouts
The Little Black Dress
How to Wear Feathers
Dress Like The Olsen Twins
Bondage Shoes
Inspired by Birds
Dress Like a Gossip Girl
Interview with LisaMay

Debenhams: The British Invasion by Polyvore featuring H! by Henry Holland

Attention fashionistas! Are you ready for the British Invasion? Leading British department store Debenhams is now shipping internationally to USA, Australia, New Zealand, Sweden,

>> BEST PRACTICE TIPS

- Verhoog de belevingswaarde van je product door deze aan te bieden in tools (zoals Polyvore) die gebruikers in staat stellen deze aan te passen en te delen met anderen.

Een Fashion magazine door je eigen klanten

Als het op mode aankomt dan is er maar één groep die echt weet wat hip is: je doelgroep zelf. En deze fashionista's laten hun vrienden maar wat graag zien hoe hip zij zijn. Polyvore, een web-based 'mix & match' applicatie, speelt hier slim op in. Op Polyvore maken gebruikers zelf collages (ook wel moodboards genoemd) van kleding, schoenen en accessoires, aangeboden door webwinkels. Gebruikers kunnen kiezen uit ruim 13 miljoen producten. Polyvore heeft maandelijks 12 miljoen bezoekers en er zijn inmiddels ruim 14 miljoen collages gemaakt. Wanneer bezoekers op één van de gebruikte producten klikken worden ze naar de betreffende webwinkel gestuurd waar ze het jurkje of zonnebril kunnen kopen.

'User generated' advertenties

Al lijkt Polyvore op het eerste gezicht misschien slechts een leuk speeltje voor amateur stylisten, in werkelijkheid is het een zeer interessant e-commerce platform. Het is een enorm affiliate marketing netwerk dat haar gebruikers een leuke & functionele tool biedt en daarmee leads genereert voor webwinkels. Polyvore stelt gebruikers in staat om op inspirerende wijze producten te ontdekken en is daarmee een ideaal platform voor merken om interactie aan te gaan met de doelgroep. De grote kracht van Polyvore is echter dat gebruikers zelf waarde toevoegen door de hipste combinaties te maken. Hiermee zijn de gemaakte moodboards veel relevanter dan 'ouderwetse advertenties' en worden ze veelvuldig gedeeld via Facebook, Twitter en eigen blogs.

Ondertussen blijven de in de moodboards gebruikte producten actieve links naar de webwinkel. Op die manier maken en verspreiden gebruikers zelf je productadvertenties. De potentie van Polyvore wordt ondertussen erkend door grote merken als Debenhams, Coach, Nike en Lancôme die al actief zijn op het platform.

>> BEST PRACTICE TIPS

• Analyseer maandelijks de sites die naar je verwijzen (dit kan met gratis of betaalde software, zoals Majestic SEO, SEO PowerSuite, SEOMoz, AdGooroo) en ga actief aan de slag met een linkbuildingstrategie.

De fundamentele waarheid over links

Olliewood had als doel op het zoekwoord 'kinderkleding' een toppositie te behalen. Iets unieks geschiedde: binnen drie maanden stond Olliewood, met behulp van Linkbuilding Specialist, bovenaan in de natuurlijke zoekresultaten van Google.

De wondere wereld van Linkbuilding

Met Linkbuilding tracht je verwijzingen te krijgen van vooraanstaande websites om de natuurlijke resultaten in zoekmachines te beïnvloeden. Het is hierbij de uitdaging je te beperken tot het vinden en gebruiken van relevante en 'trusted' links. Vraag jezelf af: zouden Koning Google en mijn bezoeker de aangevraagde link relevant vinden? Als je hier ja op kunt zeggen, zit je goed.

Trust is everything

Betrouwbare links zijn links die door Google zo worden getypeerd. Google wil alleen hoge posities geven aan websites die te vertrouwen zijn. De 'website trustrank' kan worden beïnvloed door de leeftijd van de domeinnaam, continuïteit van de domeinnaamregistratie, relevantie van inkomende links en door het feit dat de website geen gebruik maakt van oneerlijke technieken.

Maar hoe ga je nu aan de slag?

Gijs Bodenstaff van Linkbuilding Specialist adviseert het volgende stappenplan.

Stap 1. Ga op zoek naar relevante zoektermen met een hoog zoekvolume en relatief weinig concurrentie. Je kunt hier o.a. de gratis Zoekwoord Suggestietool van Google voor gebruiken

Stap 2. Analyseer je concurrenten. Gebruik hiervoor bijvoorbeeld linkdiagnosis.com, Yahoo Site Explorer of SEOMoz.

Stap 3. Onderzoek de belangrijkste links op basis van relevantie en controleer handmatig of de betreffende sites voor jou relevant zijn.

Stap 4. Doe een linkverzoek en waag er eventueel een belletje aan.

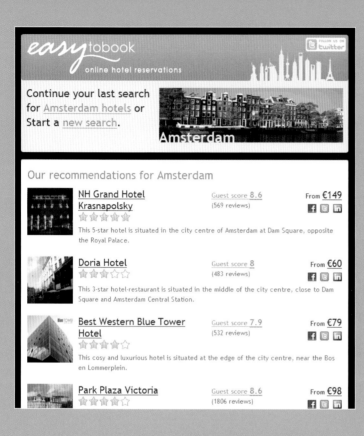

>> BEST PRACTICE TIPS

- Let bij de keuze voor een e-mailplatform op de mogelijkheden van re-targeting. Het platform moet deze optie hebben of het mailen van gepersonaliseerde content per e-mailadres aan kunnen.
- Zorg dat je de content voor de e-mails automatisch uit het CMS kan halen.

Hogere verkopen met re-targeting

Je loopt een elektronicazaak in op zoek naar een wasmachine. Je bekijkt er een paar, luistert naar het praatje van de verkoper en je denkt… ik ga maar weer eens. Een dag later krijg je een telefoontje van de verkoper om je te attenderen op een pracht aanbieding van de wasmachine waar je naar stond te kijken. Offline erg onwaarschijnlijk, online een grote hit; genaamd re-targeting. EasyToBook, een reserveringwebsite voor alle type accommodaties werkt al geruime tijd met deze techniek. Iemand die vanuit de reguliere nieuwsbrief op de website komt en hotelletjes bekijkt, krijgt de volgende dag een op maat gemaakte en gepersonaliseerde nieuwsbrief.

Het geheim van de re-targeting smid

'De kern van e-mail re-targeting zit in het volgen van het surfgedrag van nieuwsbrief ontvangers op de website,' aldus Wouter van der Hucht van eMatters. Elke nieuwsbrief heeft een unieke user ID. Deze code wordt samen met het surfgedrag vastgelegd en verzonden uit Yahoo webanalytics en geïmporteerd in Tripolis, de software voor e-mailmarketing. Per gebruiker vult EasyToBook de nieuwsbrief met recent bekeken hotels evenals de populairste hotels in die stad. Het langst bekeken hotel staat bovenaan, een technisch hoogstandje.

De resultaten

EasyToBook verstuurt sinds kort elke dag gepersonaliseerde e-mails naar de personen die de dag ervoor hebben gesurft op de website en daar kwamen vanuit de nieuwsbrief. Tot op heden heeft EasyToBook geen negatieve reacties ontvangen van haar klanten. De reguliere mailing heeft een openratio van 9%, die van de gepersonaliseerde mailings een ratio van maar liefst 35%. En de conversie ratio is 2,5 keer zo hoog. Klinkende resultaten waar de electronicaverkoper alleen maar van kan dromen.

Convert

Dagelijks staan duizenden webwinkeliers voor de uitdaging om van een bezoeker een klant te maken. Dat vergt noeste arbeid; continu meten, optimaliseren en inspelen op nieuwe trends. In dit hoofdstuk beschrijven we converterende zoekfuncties (Fonq, wehkamp.nl), nieuwe vormen van navigatie (Action Envelope, de Bijenkorf) en effectieve productpagina's (American Eagle, Spreadshirt). Ook dienen zich nieuwe conversiekansen aan. Heb jij al nagedacht over group buying (Groupon), m-commerce (Yoox), social commerce (Shoeby) of Open ID (Divine Caroline)?

Laat je inspireren door de absolute conversiekunstenaars!

>> **GEERT JAN GRIMBERG** | Consultant Jungle Minds

>> BEST PRACTICE TIPS

- Beantwoord op een homepage of landing page altijd de drie belangrijkste vragen; Wat bied je aan? Voor wie is het? Wat zijn de voordelen?
- Bied op pagina's met één product altijd één primaire call-for-action knop. Deze regel geldt niet als je homepage meerdere producten bevat.

Leerzame lessen voor home- en landing pages

Exact leeft van de verkoop van zakelijke software. Onder de naam Exact Online verkoopt Exact haar online boekhoudpakket. De oorspronkelijke homepage (zie afbeelding) bleek onvoldoende effectief. De bounce rate was hoog (> 50%) en de doorklik naar het aanvraagproces laag. Samen met Jungle Minds heeft Exact een verbeterplan gemaakt, gericht op het verhogen van de conversie. De drie belangrijkste verbeterpunten:

1. Leg beter uit wat het een 'online boekhoudpakket' is, voor wie het bedoeld is en wat de voordelen zijn.
2. Laat met een animatie zien hoe het online boekhoudpakket eruit ziet.
3. Zorg voor één primaire call-for-action knop (30 dagen gratis proefabonnement).

Verbeteringen werpen vruchten af

"Na twee maanden is het succes duidelijk meetbaar", aldus Martijn Jansen, marketing manager Exact Online. De bounce rate van de homepage is met meer dan 50% afgenomen, zowel door beter uit te leggen wat het product is, als door het toevoegen van een demo. De primaire rode call-for-action knop blijkt ook succesvol. Zo is de doorklik naar de proefabonnee pagina met 13% gestegen. En bezoekers blijken ook massaal de animaties te bekijken. Dit alles heeft geleid tot een hogere conversie.

Lessen toepasbaar voor velen

Aangezien op www.ExactOnline.nl alleen het boekhoudpakket Exact Online wordt verkocht is de homepage daarmee gelijk een goede landing page. Bedrijven die meer dan één product verkopen zetten de homepage vaak (terecht) in als etalage. Deze tips zijn in dat geval niet direct toepasbaar op de homepage, maar juist wel op de product of campagne landing pages.

Inloggen | Nieuwe klant

Voer hier uw zoekopdracht in →

Winkelmand
0 Producten € 0,00
Ga naar kassa

| Dames | Accessoires | Cosmetica | Heren | Kinderen | Speelgoed | Wonen | Cadeau | Multimedia | Magazine |

>> BEST PRACTICE TIPS

- Bedenk goed hoe je een antwoord gaat geven op de eeuwige discussie tussen branding, verkoop en usability. Maak in elk geval een keuze en bepaal de verhouding tussen branding, producten en navigatie op je homepage.
- Bied een alternatief voor flash (onder andere voor mobiele surfers, iPad adepten en bezoekers zonder flash plugin). Zo biedt de Bijenkorf een afbeelding als een gebruiker geen flash heeft.

deBijenkorf.nl: effectieve homepage verbetering

De Bijenkorf is met 12 vestigingen diepgeworteld in het Nederlandse winkellandschap. Sinds 2009 is er ook een webshop. Jorrit de Groot, online marketeer, vertelt: "belangrijke doelstellingen van debijenkorf.nl zijn: versterken van ons merk, omzet genereren via de webwinkel en landelijke winkelacties aan de man brengen." De oorspronkelijke homepage bevatte statische productfoto's en een statische navigatie (pas actief na klik). Dat bleek onvoldoende om de doelstellingen te realiseren. Totdat de Bijenkorf duidelijke keuzes maakte en een paar aanpassingen deed…

Optimale balans branding en navigatie
Sinds kort bevat de homepage een dynamische flash banner (ontwikkeld door Crossmediafix). Deze dient voor het tonen van sfeerfoto's van productcategorieën en niet meer voor specifieke productfoto's. Ook voor landelijke winkelacties, zoals de Drie Dwaze Dagen, fungeert de flash banner als dynamisch uithangbord. Tegelijkertijd heeft de Bijenkorf een mega drop-down navigatiemenu toegevoegd. Met dit uitgebreide menu kan een bezoeker snel het juiste product vinden. "Dit leidt tot gerichter klikgedrag. Tegelijkertijd biedt de dynamische banner meer flexibiliteit bij het live zetten van campagnes.

Homepage gevechten beslechten
De homepage is vaak onderwerp van pixelgevechten. De afdeling communicatie wil zoveel mogelijk branding pixels, terwijl sales & marketing strijden voor verkoopgerichte pixels. En de usability expert, die wil een effectieve en gebruiksvriendelijke navigatie. Zorg dan maar eens voor een effectieve balans. De Bijenkorf heeft deze discussie beslecht door duidelijke keuzes te maken over de invulling van de homepage en de navigatie.

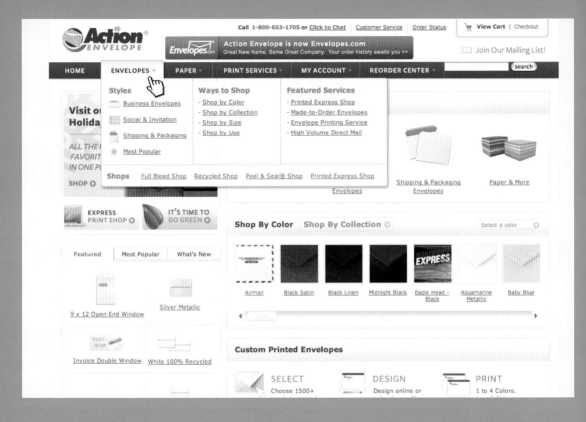

>> BEST PRACTICE TIPS

- Overweeg het toepassen van de mega drop-down, zeker als je een breed en diep aanbod hebt.
- Houd het simpel. Denk goed na over het groeperen van de navigatie items en voeg eventueel relevante visuele ondersteuning toe (productfoto's en iconen).
- Zorg voor een kleine vertraging in het tonen van de mega drop-down bij mouse-over. Jakob Nielsen houdt een richtlijn van 0,5 seconden aan.
- Bied een alternatief voor mobiele browsers. Een mega drop-down past immers niet in het scherm van de mobiel.

Nieuwste navigatietrend:
de mega navigatie drop-down

Door alle lofzang op social media en mobiel internet zou je bijna vergeten dat zich afgelopen jaar een belangrijke navigatietrend heeft aangediend. We noemen het de mega navigatie drop-down. Een jaar geleden nog niet te zien, inmiddels steeds vaker. Action Envelope maakt in één oogopslag duidelijk wat we bedoelen. Je gaat met je muis over 'Envelopes' en het wonder geschiedt. Een 3-koloms breed, goed gegroepeerd en lekker scanbaar navigatiemenu ontvouwt zich. Concrete producten, alternatieve filteringangen (ways to shop) en aanvullende diensten, het zit er allemaal in. Het biedt kansen voor iedere website met een breed en diep aanbod. En, niet onbelangrijk, usability goeroe Jakob Nielsen is ook overtuigd.

Voordelen van de mega drop-down navigatie

Voordeel 1. In een groter navigatiemenu kun je meer items kwijt. Voor het traditionele 1-koloms menu geldt een maximum van tien. Een mega drop-down kan - mits goed gegroepeerd - meer navigatie items herbergen. Zo heeft Action Envelope er 17.

Voordeel 2. In een mega drop-down kun je verschillende groeperingen maken. Daarmee kun je in één klap voorzien in verschillende gebruikersscenario's. Zo biedt Action Envelope directe productingangen, maar ook alternatieve ingangen naar onder andere winkelen op kleur, collectie en grootte.

Voordeel 3. Een mega drop-down biedt ruimte voor visuele ondersteuning. Zo plaatst Action Envelope verduidelijkende iconen bij de verschillende soorten enveloppen.

>> BEST PRACTICE TIPS

- Een zoekfunctie houdt niet op bij de eerste resultatenpagina: meerdere pagina's zoekresultaten schrikken gebruikers niet af.
- Bied zoekers wel filters op de resultatenpagina zodat gebruikers de zoekopdracht zelf kunnen verfijnen.

Bedien de Zoeker en gij zult verkopen

Met dagelijks 250.000 bezoekers is wehkamp.nl een hele grote speler in het Nederlandse e-commerce landschap. Doordat wehkamp.nl ruim 55.000 producten aanbiedt is het belang van een effectieve interne zoekfunctie enorm. Wekelijks wordt de zoekfunctie tijdens een kwart miljoen bezoeken gebruikt. Daar komt bij dat de conversie van deze bezoeken aanzienlijk hoger ligt dan die van sessies waarin niet gezocht wordt. Reden genoeg dus om te zorgen dat de zoekfunctie optimaal functioneert.

Het resultaat van een verbeterde resultatenpagina

De oude versie van de zoekresultaat pagina was ingedeeld naar de productcategorie waarin wehkamp.nl het gezochte product schaart. Hierdoor leken de resultaten te sterk op de reguliere vaste navigatie van de website terwijl gebruikers van de zoekmachine er juist bewust voor kiezen de vaste navigatie te omzeilen.

In de vernieuwde versie pakt wehkamp.nl het een stuk eenvoudiger aan: zij zetten slechts de producten in een lange lijst (met uiteraard bovenaan de meest relevante producten) en de rest mag de bezoeker zelf doen. Met behulp van filters kan de gebruiker de zoekopdracht verder verfijnen: hoofdcategorie, productsoort, prijs, merk of kleur. Het loslaten van de productcategorieën op de resultatenpagina biedt de gebruiker meer overzicht en rust en geeft wehkamp.nl de ruimte meer producten te laten zien (en daarmee de verscheidenheid van haar assortiment beter te tonen). De nieuwe, meer aantrekkelijke resultatenpagina zorgt voor een hogere doorklikratio van de resultatenpagina naar productpagina's en heeft het aantal producten dat via de zoekfunctie is gekocht sterk doen toenemen.

>> BEST PRACTICE TIPS

- Overweeg om al tijdens het typen in de zoekfunctie de resultaten weer te geven.
- Plaats bij de resultaten ook productfoto's en informatie over prijs en levertijd.
- Overweeg al in de zoekresultaten filteropties te bieden.

Een genotverhogende zoekfunctie

Het belang van een interne zoekfunctie is onmiskenbaar. Bezoekers die de zoekfunctie gebruiken converteren gemiddeld bijna 50% beter dan bezoekers die dit niet doen (Econsultancy, augustus 2010). Fonq.nl is zich hiervan bewust en biedt een zoekfunctie die voelt als een warm bad.

Zoeken zoals zoeken zou moeten zijn

Bij traditionele zoekfuncties typ je een woord in, druk je op 'zoeken' en bepaal je op de resultatenpagina of er iets van jouw gading bijzit. Dit gold ook voor Fonq, maar inmiddels doen zij het anders. Ik zoek een vuilnisemmer en begin te typen; vuil.... Fonq anticipeert direct en geeft in een layer 49 vuilnis- en pedaalemmers. Allemaal met productfoto, prijs en bezorginformatie. Fonq vermoedt ook dat ik de 49 zoekresultaten wel wil verfijnen. De filters 'prijs', 'merk', 'designer' en 'voorraad' staan al klaar. Dit alles speelt zich af binnen één overlay, zonder dat ik onnodig heen- en weer moet klikken.

Resultaat gegarandeerd, ook voor Fonq

Online Dialogue is verantwoordelijk voor de optimalisatie. De software is van Typeresult. Een A/B test (alleen voor instant search, dus nog zonder de filtermogelijkheden) wijst uit dat het nieuwe zoeken uitermate succesvol is. Ton Wesseling en Bart Schutz (Online Dialogue): "Op de vijf verschillende webshops van Fonq hebben we de helft van de zoekmachinegebruikers de traditionele oplossing voorgeschoteld. De andere helft van de bezoekers kreeg de nieuwe instant search toepassing van Typeresult te zien." De directe visuele resultaten lijken gebruiksvriendelijker en stimuleren waarschijnlijk sterker ons genotscentrum (hebbe-hebbe-hebbe). En, niet onbelangrijk, de nieuwe instant search toepassing leverde een 49% hogere conversie op!

全商品	衣類	食品	家具	電化製品	キッチン	文具	化粧品	収納	ギフト	生活雑貨	XMAS
ALL ITEMS	APPAREL	FOOD	FURNITURE	ELECTRONICS	KITCHEN	STATIONERY	COSMETICS	STORAGE	GIFTS	HOUSEHOLD GOODS	XMAS

壁掛け式CDプレイヤー
WALL MOUNTED CD PLAYER

PPケース・引出式
PP DRAWER UNIT

アロマディフューザー
AROMA DIFFUSER

しるしのつけられる傘
MARKABLE UMBRELLA

ステンレスユニットシェルフ (SUS)
STAINLESS SHELF

ダンボール組立式スピーカー
CARDBOARD SPEAKERS

吊して使える洗面用具ケース
HANGING WASH BAG

≫ BEST PRACTICE TIPS

- Bereken of ook voor jouw assortiment de kosten van video opwegen tegen de mogelijke conversiestijging.
- Laat - indien mogelijk - zien hoe je jouw producten gebruikt en wat je er mee kan. Dit als aanvulling op de gebruikelijke statische productfoto's. Gebruik hiervoor meerdere foto's en bij voorkeur video.
- Experimenteer met het tonen van productvideo's of animaties op de overzichtspagina.

Effectieve inzet van video op overzichtspagina

Jaar in jaar uit bewijzen onderzoeken dat video een conversiekanon bij uitstek kan zijn. *Double digit* conversiestijgingen zijn eerder regel dan uitzondering. eBags - webwinkel voor tassen - claimt zelfs een conversiestijging van 138% door het toevoegen van video (Get Elastic, mei 2010). Er is natuurlijk ook een keerzijde. Het produceren van video's voor alle producten is tijdrovend en vaak duur. Mocht de business case voor jouw assortiment positief uitvallen, dan moet je bepalen waar op de site de video's gaan prijken. Muji.com geeft het goede voorbeeld.

Hoe verkoop je feng shui design producten?

Muji.com - een Japanse webwinkel - verkoopt hippe, feng shui design producten. Van vernuftige lampjes en multifunctionele kasten tot koffers. De producten spreken niet altijd voor zichzelf. Om de koper op afstand goed uit te leggen hoe de producten werken gebruikt Muji video. Al op de product overzichtspagina beginnen video's te spelen, waarin vriendelijke japanners de producten demonstreren. Die koffer, hoeveel ruimte heeft die? Hoe werkt die gekke lamp? Die kast wat past daar ongeveer in? Geen probleem, Muji laat het allemaal zien. Het resultaat is een rijke gebruikerservaring met op de achtergrond een rustgevend Japans deuntje. Slim gedaan. Vooral door de productvideo's die traditioneel pas op de productpagina staan al eerder in het oriëntatieproces te tonen. Als dat geen *double digit* conversiestijging heeft opgeleverd…

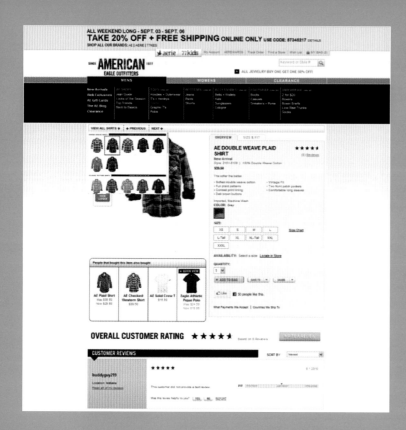

>> BEST PRACTICE TIPS

- Bied ook op je productpagina inzicht in andere producten binnen dezelfde categorie.
- Vergelijk de ingrediënten van de productpagina van American Eagle eens met die van je eigen website.

American Eagle voorkomt uitval op productpagina

Wat is de meest gebruikte knop tijdens een surfsessie op de gemiddelde webwinkel? Het antwoord is helaas niet de 'bestel nu' knop, maar de back button. Dat pijltje linksboven in de browser. Oorzaken zijn er genoeg; slecht design, onduidelijke navigatie, technische mankementen, 404 pagina's. Maar het meest voorkomende euvel is waarschijnlijk de *product trap*. Het verschijnsel waarbij een bezoeker na het doorklikken op een specifiek product vanuit homepage of product overzichtspagina op een dood spoor belandt. De enige weg naar andere producten binnen dezelfde categorie is via de back button. American Eagle biedt een vernuftige oplossing.

Nooit meer terug, alleen maar vooruit

Stel dat een bezoeker nog niet precies weet welk houthakkershemd hij wil hebben. Op de AE.com productpagina kan hij - als ware het een kledingrek - eenvoudig door het totale aanbod navigeren. Door met de muis over 'view all shirts' te gaan (boven de productfoto) opent een overlay waarin alle andere hemden binnen de categorie staan. De bezoeker kan direct doorklikken naar een nieuwe productpagina en hoeft zich niet tot de back button te wenden.

De ingrediënten voor de productpagina anno 2011

Ook de productpagina zelf is een schoolvoorbeeld van een gebruiksvriendelijk website-ontwerp. De ingrediënten: (1) productfoto's met zoom, (2) productinformatie en maattabel, (3) prijs en voorraadinformatie, (4) social sharing opties en Facebook Like, (5) mensen die dit product kochten, kochten ook, (6) ratings en reviews, (7) sterke bestelknop, (8) betaal- en bezorginformatie. Dat alles op een bedje van fraai design, gecombineerd met het handige gebruik van overlays.

Maten

Hoe zit dat allemaal?

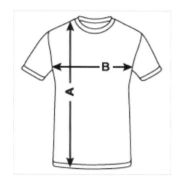

Rolf, 1,65m, 60 kg

Gregor, 1,75m, 70 kg

Maat	S	M	L	XL	XXL	XXXL
Maat A (cm)	69,0	71,0	74,0	77,0	79,0	80,0
Maat B (cm)	52,0	53,0	56,0	58,0	63,0	64,0

>> BEST PRACTICE TIPS

- Geef de grootte van je producten ook in centimeters weer (en bijv. niet alleen als M, L, XL).
- Laat de relatieve grootte van je producten zien door een ijkpunt toe te voegen (bijv. persoon, meetlat of ander product).
- Zorg dat je bij het gebruik van echte modellen de meest voorkomende lengtes (en gewichten) aanbiedt.

Spreadshirt verkleint risico van online miskopen

Eén van de belangrijkste behoeften van consumenten is het kunnen zien en 'passen' van producten. Zeker bij kleding. Veel webshops staan dan ook voor de uitdaging om deze fysieke shopbehoefte in te vullen, en daarmee het aantal klantvragen en retourstromen te beperken. Tactieken genoeg. Denk bijvoorbeeld aan maattabellen, productfoto's, 3D, video, zoom en augmented reality toepassingen. Spreadshirt, een grote internationale T-shirt shop, voegt een slimme tactiek toe aan dit rijtje. Door aan te geven hoe lang en hoe zwaar het model op de productfoto is.

Echte mensen met echte maten

De Spreadshirt T-shirts zijn te koop in alle maten. Op elke productpagina prijkt de logische vraag 'hoe zit dat allemaal?'. Ik kan als man kiezen tussen de modellen Rolf (1.65m.) en Gregor (1.75m.). Beiden tonen alle maten van M tot XXXL. Ik ben iets groter dan Gregor. Maat L zit hem net iets te ruim, dus die moet mij goed passen…

Sterke afname klantvragen en retourpercentage

Pim Michels, online marketing verantwoordelijke vertelt: "Onze klantenservice kreeg veel vragen over de afmetingen en pasvorm van T-shirts. We hebben toen maattabellen met alle afmetingen in centimeters toegevoegd. Vervolgens zijn we gestart met het maken van foto's waarop modellen alle maten dragen. Tijdens fotoshoots noteren we nu standaard lengte en gewicht van het model." De resultaten zijn positief. Het aantal klantvragen is afgenomen, Spreadshirt krijgt meer complimenten over de pasvorm en de klanttevredenheid is toegenomen. En, niet onbelangrijk, het retourpercentage is mede door de maatmodellen nog slechts 2,5%.

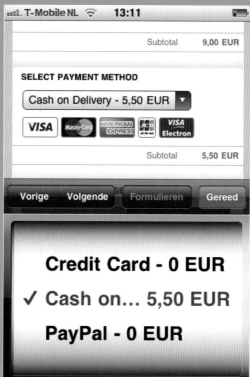

>> BEST PRACTICE TIPS

- Heb je een mobiele webshop of ga je er een bouwen? Zorg dat het mobiele bestelproces sterke gelijkenis vertoont met dat van 'gewone' websites. Laat je inspireren door Yoox.
- Bied vertrouwenwekkende informatie over veiligheid, privacy en toon relevante logo's (denk aan Thuiswinkel, Verizon).
- Volg ontwikkelingen over mobiele betaalmethoden op de voet. Nederlands grootste webwinkels, wehkamp.nl en bol.com bieden nu alleen acceptgiro als mobiel betaalmiddel. Het grote wachten is op iDeal mobiel.

De mobiele winkel van Yoox.com

De mobiel als verkoopkanaal, tot voor kort ondenkbaar. Maar langzaamaan verschijnen steeds meer mobiele webshops. Een nieuw verkoopkanaal stelt echter nieuwe eisen aan usability en zal ook het vertrouwen van de consument opnieuw moeten winnen. Yoox.com - een Italiaanse webwinkel - geeft het goede voorbeeld. We nemen een kijkje in het bestelproces van de mobiele site.

Lekker shoppen met je mobiel

De mobiele site van Yoox opent zodra je met je mobiele browser www.yoox.com intypt. De navigatie is duidelijk met grote buttons. Productpagina's zijn geoptimaliseerd voor het kleine scherm en de filterfunctie werkt intuïtief. En dan, als je een product in je mobiele winkelmand legt, begint een nieuwe ervaring. Afrekenen op 20 vierkante centimeter, dat is best eng. Is het wel veilig? En, hoe werkt betalen?

Herkenbaar 4-stappen plan geeft vertrouwen

Allereerst toont Yoox een handig 4-stappenplan, zoals we dat kennen van gewone webshops. (1) Kassamandje (2) Bezorgwijze (3) Betaalmethode (4) Persoonlijke gegevens en bevestiging. Heel herkenbaar, het vertrouwen groeit gestaag. Dan vraagt Yoox hoe je het product wil ontvangen, per post of per express. Ook vertellen ze hoe lang de bezorging duurt. Vervolgens kun je je betaaloptie kiezen. Keuze genoeg: Credit card, PayPal en betalen bij levering. De directe betalingen geschieden via een beveiligde connectie. Dat geeft nog meer vertrouwen. Vervolgens vraagt Yoox je persoonlijke gegevens en adres, zonder verplichte registratie. Het vertrouwen is gewonnen.

1

Checking out with us is easy...

Enter your email address: [   ]

Do you have a Sears password? ○ Yes ○ No

Continue

2

Checking out with us is easy...

Enter your email address: tim.besselink@jungleminds.nl

Do you have a Sears password? ○ Yes ● No

You will have a chance to register after checking out.

Continue

3

Checking out with us is easy...

Enter your email address: tim.besselink@jungleminds.nl

Do you have a Sears password? ● Yes ○ No

Please enter your password below

[   ]

Password is case sensitive
Forgot your password?

☐ ✈ Express Checkout
The quickest way to make a
purchase!

Continue

>> BEST PRACTICE TIPS

- Focus op het realiseren van de verkoop, laat het aanmaken van een account geen enkele hobbel opleveren in dit proces.
- Begin bij nieuwe klanten pas aan het eind van het bestelproces over registreren en het daarvoor benodigde wachtwoord. Alle andere benodigde gegevens zijn dan toch al ingevuld.
- Bied ook altijd de mogelijkheid om zonder registratie te bestellen.

Registreren zonder zorgen

Forrester (2008) heeft onderzocht wat Amerikanen doen op het moment dat een webshop ze dwingt tot registratie voor aankoop. Een kwart zegt de shop de rug toe te keren! Op het moment dat iemand een bestelling wil plaatsen past de winkelier enkel dankbaarheid en een dienstbare opstelling. En dus niet een verplichte registratie voor wat dan ook. Maar natuurlijk kleven er voor de marketeer grote voordelen aan geregistreerde klanten. Van klanten met een eigen account kan je eenvoudiger de interesses en klik- en aankoophistorie vastleggen en zo in de toekomst gerichter benaderen.

Het draait allemaal om volgordelijkheid: beide doelen (de aankoop en de registratie) kan je realiseren, mits in de juiste volgorde. Haal eerst de verkoop binnen en begin pas daarna over eventuele registratie. Hoe? Sears snapt het.

De oplossing van Sears

Sears.com heeft een wonderschone oplossing bedacht waar niemand zich aan kan storen.
1. Op de eerste pagina van het bestelproces vraagt zij alleen naar het e-mailadres en of de bezoeker een wachtwoord heeft.
2. Kiest de bezoeker voor 'ja' dan kan hij dat invullen en zijn op de vervolgpagina's alle bekende gegevens al ingevuld.
3. Kiest de bezoeker voor 'nee' dan gaat hij verder met het bestelproces.
Pas aan het einde van de bestelling begint Sears over de voordelen van een account. Het enige dat hier nog voor nodig is is een wachtwoord. Uiteraard blijft een account optioneel.

Combineer deze case met de tips van IDVille en een aanmerkelijk hogere conversie lijkt gegarandeerd!

WWW.SEARS.COM

>> BEST PRACTICE TIPS

- Vraag zo vroeg mogelijk in het bestelproces naar het e-mailadres, zodat je dit kunt gebruiken mocht de bestelling niet lukken.
- Stuur na verlaten van het bestelproces binnen een uur een herinneringsmail, inclusief link om direct verder te kunnen bestellen. Als dit niet helpt, doe dan na 24 uur een laatste poging.

Identificeer de drop-outs in je bestelproces

e-Dialog (2009) is tot de conclusie gekomen dat 46% van de bezoekers die het bestelproces verlaat alsnog de bestelling plaatst als je ze daar aan herinnert. Als het goed is zit je nu op het randje van je stoel (of toilet – pas op!). Bekijk vanavond even je statistieken: het zou zo maar kunnen dat de helft van je klanten die aan het bestelproces begint de eindstreep niet haalt. En daar is relatief eenvoudig wat aan te doen.

De klant bij de kladden

Je moet bij IDVille zijn als je je medewerkers wilt uitrusten met zo'n stoere toegangsbadge aan de broekriem. Zij verkopen identificatiemateriaal en –apparatuur. Waar ze ook goed in zijn is het identificeren van hun potentiële klanten. Zodra je hebt verteld wie je bent vergeet IDVille dat niet zo snel. Mocht je onverhoopt het bestelproces verlaten, maar wel je e-mailadres hebben ingevuld dan laat IDVille het er niet bij zitten. Een uurtje later krijg je namelijk een vriendelijke e-mail in de bus: *"dear valued customer, as a service to you, we're holding the items you selected in your shopping cart"*. Via een klik op de knop kan de drop-out weer verder waar hij in het bestelproces gebleven was. Een geweldig vangnet voor iedereen waarbij tijdens het bestellen de verbinding wegviel, er iets technisch misging, een kind begon te huilen of onverwachts bezoek op de stoep stond.

>> BEST PRACTICE TIPS

- Volg de Open ID ontwikkeling in Nederland via www.openidplus.nl.
- Als je Open ID aanbiedt, maak dan gebruik van een bestaande technische koppeling, zoals het Janrain Engage platform of OpenID.net.
- Als je sociale netwerken als Open ID aanbiedt, zorg dan dat bezoekers content kunnen delen in hun netwerk. Dit verhoogt de kans op verspreiding van je content en op nieuwe bezoekers.

Open ID als virtuele loper

De gemiddelde internetter heeft tussen de 10 en 20 online accounts. Voor e-mail, sociale netwerken, webwinkels, bankzaken en meer. Vaak met unieke gebruikersnaam en wachtwoord combinatie. De ietwat technocratische term Open ID moet de wildgroei aan al deze online identiteiten gaan oplossen. En dat het toepassen van Open ID succesvol kan zijn bewijst Divine Caroline.

Divine Caroline opent registratieproces

Divine Caroline is een Amerikaanse lifestyle site voor vrouwen. Sindskort biedt Divine Caroline inlog met Open ID. Linksboven staat 'log in with your ID'. Heb je nog geen account, dan kun je je uiteraard registreren, maar ook inloggen met een extern account. Facebook, Twitter, Yahoo, Google en Windows Live. Je zegt het maar. Klik je op Facebook dan opent een nieuw scherm dat om toestemming vraagt voor het gebruik van je Facebook profielgegevens. Ook geef je Divine Caroline toestemming om artikelen die je leuk vindt op jouw prikbord te plaatsen (via Facebook Like). Bij terugkomst op de website kun je opnieuw met je Facebook inloggegevens inloggen.

Content naar buiten, nieuwe bezoekers naar binnen

De resultaten zijn goed. Sinds de implementatie van Open ID is het aantal registraties met 12% toegenomen. Maar niet alleen de registraties nemen toe. Door de Open ID koppelingen staat inmiddels meer dan 10% van de content van Divine Caroline ook op sociale netwerken. En dat levert per Facebook of Twitter inlogger nog eens zeven nieuwe bezoekers op. Daar droomt toch elke markteer van.

>> BEST PRACTICE TIPS

- Heb je een website met een uitgeefmodel? Onderzoek de mogelijkheid om producten te verkopen via een affiliate model (je verkoopt dan de producten van anderen en ontvangt daarvoor een commissie).
- Onderzoek als retailer de mogelijkheden voor samenwerkingsverbanden met uitgevers of het opzetten van een eigen content redactie.

Degelijke Duitse content commerce

Klick mich - kauf mich is niet de titel van een hit van Falko of Udo Jürgens. Het is de ietwat dwingende call-for-action bij een fraaie case van Jungstil, een hippe Duitse kleding webwinkel. Jungstil heeft een fraai vormgegeven webwinkel met daarbinnen een apart onderdeel Jungstil TV. In deze videotheek vind je modeshows, interviews en trend analyses. Ook zijn er catwalk video's, waarin *schöne mädchen* de nieuwste collecties tonen. Aan de rechterkant verschijnen één voor één de Jungstil producten die de modellen aanhebben. Klick mich… De bezoeker verlaat de video, komt op de productpagina en kan van daaruit direct bestellen.

De uitgever verkoopt en de verkoper geeft uit

Jungstil TV past in een trend waarin uitgevers en online retailers elkaars vaarwater opzoeken. Steeds meer retailers zijn bezig met het creëren van redactionele content (artikelen en video's). Dit met als doel bezoekers te trekken met unieke content, hen te inspireren en te binden. Exponenten van deze stroming zijn naast Jungstil ook Asos en Net-a-Porter. Omgekeerd koppelen uitgevers in toenemende mate hun digitale content aan de verkoop van producten van anderen. Zo maken de Britse kranten 'the Daily Mail' en 'the Telegraph' hun online fashion websites inmiddels te gelde met de verkoop van producten. Producten van derden (webwinkels) prijken naast de redactionele content en zo verdienen de kranten een zakcentje bij. Wij noemen de trend content commerce. De komst van de iPad zou de trend weleens flink kunnen aanwakkeren (zie ook de Net-a-Porter iPad case in deze Finest Fifty).

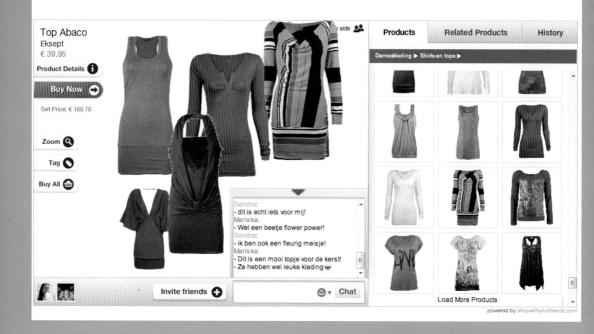

>> BEST PRACTICE TIPS

- Verkoop je producten met een hoog 'samen beslis' gehalte? Of producten waarbij de mening van anderen belangrijk is voor het doen van de aankoop? Maak dan een co-browse business case en overtuig je manager van het doen van een pilot.

Samen shoppen bij Shoebyfashion.nl

Samen shoppen is een van de verschijningsvormen van social shopping. Het idee is simpel en vaker beschreven, maar technisch complex. Op Shoeby.nl is het mogelijk. Stel, je wilt de mening van een vriend of vriendin polsen over dat leuke jurkje. Je klikt op de knop 'live samen shoppen'. Via Facebook, Hyves of Twitter kun je een vriend of vriendin uitnodigen die op dat moment online is. Een nieuw venster met twee muiscursors en chatvenster opent. Live samen shoppen maar…

ShopWithYourFriends applicatie

Mark Roex, online marketeer bij Shoeby legt uit. "De voornaamste reden om een co-browse tool te implementeren is onderscheidend vermogen en het verhogen van het funshop gehalte." Shoeby heeft als verwachtingen: hogere conversie, hogere orderwaarde en nieuwe klanten. Shoeby gebruikt de ShopWithYourFriends applicatie van Chatventure. Volledig *plug and play*. Chatventure biedt de webwinkelier vier abonnementsvormen van € 79,- tot € 1.299,- per maand. Het proberen waard.

Samen shoppen biedt kansen

De eerste resultaten zijn positief. Dagelijks gaan enkele tientallen klanten samen shoppen. De meeste uitnodigingen verlopen via Facebook (ca. 50%). Hyves en Twitter volgen met respectievelijk 30% en 20%. Conversie en orderwaarde van samen shoppers liggen aanzienlijk hoger dan die van de individuele shopper. Een verklaring kan zijn dat de samen shopper al ver in zijn beslissingsproces zit en nog slechts een sociaal duwtje in de rug nodig heeft. En dan te bedenken dat er producten zijn die zich misschien wel beter lenen voor samen shoppen dan kleding. Producten als reizen, meubels en elektronica koop je immers vaak in goed overleg.

>> BEST PRACTICE TIPS

- Maak gebruik van het virale effect van groepskortingen. Beloon klanten voor het werven van andere klanten en gebruik sociale netwerken.
- Geef het virale effect een slinger door zeker in de opstartfase zeer scherpe deals aan te bieden. Deze verliesmakende verkoop is een effectiever middel om snel een grote groep volgers te creëren dan andere marketinginspanningen.

Groepskorting als viraal vuurtje

Alles wijst erop dat *'group buying websites'* de next big thing zijn. Het concept is simpel: elke dag één mooie aanbieding met hoge korting. Er is een minimum aantal kopers nodig om de deal voor iedereen door te laten gaan. Door de opkomst van sociale netwerken kan elke koper binnen vijf minuten honderden potentiële medekopers bereiken. Ter indicatie: binnen twee jaar na oprichting heeft de Amerikaanse *group buying website* Groupon een geschatte beurswaarde van een miljard dollar.

Opstekertje voor elke retailer

Bij het Nederlandse GroupDeal schrijven gebruikers zich in om dagelijks per e-mail op de hoogte te worden gebracht van aanbiedingen in hun eigen stad. GroupDeal heeft een aantal slimme marketinginstrumenten toegevoegd, wat het concept tot een succes maakt: (1) De aanbieding is slechts 24 uur geldig, dus je moet snel beslissen, de tikkende klok laat dat duidelijk zien. (2) De aanbiedingen zijn vooral voor activiteiten en diensten: dingen die je vooral 'samen' doet, wat het klant-werft-klant effect verder versterkt. (3) Het doorsturen van de aanbieding via social media is erg gemakkelijk: op de bedankpagina na aankoop kan je met een druk op de knop je vrienden tippen via Hyves, Twitter en Facebook. Tien procent van de kopers doet dit. Een doorsnee lid (ingeschreven op de e-mailalert) van de site werft acht nieuwe leden.

Het virale effect van groepskortingen is iets waar elke retailer van zou kunnen leren. Groupdeal maakt het je extra gemakkelijk door haar technologie als whitelabel aan te bieden.

>> BEST PRACTICE TIPS

- Het gebruik van mobiel internet neemt snel toe. Zorg dat je website ook op een mobiele browser goed te bekijken is.
- Houd de ontwikkeling op het gebied van m-commerce binnen en buiten je sector in de gaten.
- Overweeg de ontwikkeling van een mobiele App. Let daarbij in je webstatistieken op de toestellen die je doelgroep gebruikt (iPhone, Android, Blackberry…).

De mobiele wijzen komen uit het Oosten

FC Twente - landskampioen 2009 / 2010 - is druk bezig om ook haar online droom te realiseren. Er is inmiddels een nieuwe website. En ook zijn de Tukkers - samen met XS2TheWorld - druk bezig met de ontwikkeling van een Java, Blackberry en iPhone App, met daarin een mobiele webwinkel. Daarmee is Twente de eerste voetbalclub die inzet op mobiele verkoop, ook wel m-commerce genoemd.

Mobiele verkoop van shirts, merchandising en programmaboekje

Jelle Bos, marketingspecialist bij FC Twente, vertelt dat de App een drietal doelstellingen heeft; "branding, binding en verkoop". Het live matchcenter, met minuut-tot-minuut wedstrijdverslag en allerlei video's moeten het ultieme bindmiddel met fans binnen en buiten het stadion worden. De mobiele omzet gaat komen uit de webwinkel met daarin shirts, merchandising en het digitale programmaboekje. Om te betalen moet de Twente-fan zijn creditcard bij de hand hebben.

Voorspellende waarde Japan

Ten oosten van Enschede ligt Japan, een van de koplopers op het gebied van mobiel internet. Morgan Stanley becijferde dat mobiel in Japan in 2009 goed is voor 18% van alle online aankopen (mobiel + computer). Vijf jaar geleden was dit nog slechts 4%. Als dit een voorbode is voor wat ook in Nederland komen gaat, dan wedt FC Twente op het juiste paard. En komen de wijzen voorlopig nog steeds uit het Oosten.

Retain

Een klant werven is een ding. Hem behouden is een tweede. De volgende tien cases inspireren je in het optimaal bedienen, blijven boeien en zo binden van je klant, via social media als Facebook, Foursquare en Twitter. Zie de cases van KLM en Ann Taylor. Of door klanten direct per e-mail aan hun (herhaal)aankoop te herinneren, zoals Greetz en Joline Jolink doen. Maar we behandelen ook slimme loyaliteitsprogramma's en gepersonaliseerde cross- en upsell.

Succes en inspiratie gewenst!

>> TIM BESSELINK | Consultant Jungle Minds

Als een van de oudste steden van ons land heeft Maastricht een rijke geschiedenis, maar ook een gevarieerd winkelcentrum, vele terrassen en natuurlijk de echte Limburgse vlaai. Voor cultuurliefhebbers en bourgondische genieters is deze stad een waar paradijs.

Cultuur

De invloed van de Romeinen is tot de dag van vandaag terug te zien in Maastricht. Maar ook de katholieke kerk liet haar sporen na in deze stad. Daarnaast is er veel aandacht voor de ontwikkeling van de Limburgse natuur. Kortom: er is genoeg te doen voor cultuurliefhebbers in deze stad.

Basiliek van Sint Servaas
Sint Servatius is de beschermheilige van Maastricht, dus een bezoek aan de Sint Servaasbasiliek mag zeker niet

ontbreken. De basiliek is gebouwd op het graf van de heilige en herbergt een schatkamer met relikwieën. De belangrijkste relikwie is de 'Noodkist' waar de resten van Sint Servatius in bewaard worden; samen met de beenderen van andere bisschoppen van Tongeren in Maastricht.

Bonnefantenmuseum
Sla een bezoek aan het museum voor oude en hedendaagse kunst niet over. De collectie van het Bonnefantenmuseum bestaat voor een gedeelte uit oude meesters en een gedeelte hedendaagse kunst. Daarnaast zijn er vaak nog wisselende tentoonstellingen.

Natuurhistorisch Museum Maastricht

Dit museum vertelt het verhaal van de natuur in en rond Maastricht, van vroeger en vandaag. Topstuk van het Natuurhistorisch Museum Maastricht is mosasaurus Bèr die in 1998 opgegraven werd uit de mergellagen van de Sint Pietersberg.

Winkelen

In Maastricht vindt u op winkelgebied van alles: van designerwinkels tot grote ketens. Als uw portemonnee

wat beter gevuld is kunt u gaan winkelen in de Stokstraat; de exclusieve winkelstraat van Maastricht. En anders gaat u gewoon naar de Grote Staat of de Kleine Staat; de drukste en meest bekende winkelstraten van de stad.

Winkelcentrum Brusselse Poort
Dit winkelcentrum ligt aan de rand van Maastricht en is een van de mooiste overdekte winkelcentra van Nederland. Hier vindt u een aantal grote winkelketens, maar ook kleine particuliere zaken.

Eten en drinken

Maastricht staat bekend als bourgondische stad, dus op het gebied van eten zit het wel goed. De keukens zijn overwegend Nederlands-Frans, maar andere keukens zijn ook goed vertegenwoordigd. Of u nu op zoek bent naar typisch Limburgse gerechten of liever geniet van een exotische maaltijd. Alles is mogelijk in Maastricht.

Restaurants
Gezellige restaurants, bars en eetcafés

zijn verspreid door het hele centrum van Maastricht. Rondom de Markt, het Vrijthof en het Onze-Lieve-Vrouweplein. Romantisch dineren? Duik dan de kleine straatjes in? Ontdek ook de authentieke binnenhaven met leuke restaurants aan het water.

Uitgaan

Theater
Voor een theaterbezoek moet u in het Theater aan het Vrijthof zijn. Hier kunt u zowel terecht voor populaire voorstellingen als artistieke producties. Het theater ligt direct aan het Vrijthof en was voor 1985 een generaalshuis.

't Magisch Theatertje staat daarentegen garant voor een unieke theaterervaring. Dit gezelschap richt zich specifiek op figurentheater met poppen en maskers.

Bioscoop
Zin om een filmpje te pakken tijdens uw bezoek aan Maastricht? Dan kunt u voor de films van het laatste moment terecht in bioscoop Minerva. Houdt u meer van een alternatief filmaanbod dan gaat u naar Filmhuis Lumière.

Café en discotheek
Het uitgaansleven van Maastricht speelt zich vooral af rond het Vrijthof en het Onze-Lieve-Vrouweplein. Hier kunt u in een van de cafés een 'Mestreechs Blont' proeven of een glas Apostelhoevewijn. Voor een gevarieerde avond uit gaat u naar De Kadans. Hier kunt u terecht voor 3 D's: Dining, Drinking and Dancing. 's Avonds verandert deze brasserie namelijk in een discotheek met salsa- en merengueklanken.

HotelSpecials.nl tip!

Maak tijdens uw verblijf ook tijd vrij voor een mooie rondvaart over de Maas. Bezichtig de Sint Pietersberg en de beuvel met de beroemde mergelgrotten vanaf de boot. U vaart door tot de Belgische grens en volgt daarna dezelfde route terug.

 HotelSpecials.nl / **Maastricht**

Bekijk eens:

1 **Basiliek van Sint Servaas**
De twee basilieken in het centrum van de stad herbergen een grote collectie relikwieën en schatten.

2 **Bonnefantenmuseum**
Bekijk werken uit de hedendaagse kunst in dit museum

3 **Natuurhistorisch Museum**
Ontdek alles over de natuur in en om Maastricht.

4 **Filmhuis Lumière**
Kijk een film uit een bijzondere selectie alternatieve films.

5 **Helpoort**
Bekijk deze voormalige stadspoort en de stadsmuur met middeleeuwse muurtorens.

Ontdek eens:

6 **Stokstraat**
Ga winkelen in deze exclusieve winkelstraat.

7 **Winkelcentrum Brusselse Poort**
Sla uw slag in een van de leuke winkels van dit overdekte winkelcentrum.

8 **Theater aan het Vrijthof**
Woon een leuke voorstelling bij in dit theater.

9 **Dansen in Kadans**
Dining, drinking and dancing zijn de sleutelwoorden in deze trendy discotheek.

10 **Rondvaart over de Maas**
Maak een mooie rondvaart en verken Maastricht vanaf het water.

Proef eens:

11 **Limburgse vlaai**
Nuttig deze Limburgse lekkernij in een restaurant op het Onze Lieve Vrouweplein.

12 **Mestreechs Blont**
Proef eens een echt Maastrichts biertje in Stoombierbrouwerij de Keyzer.

13 **Apostelhoevewijn**
Drink deze zoete witte wijn in een wijnbar in de Kruiserengang.

14 **Vrijthof**
Relax met een verfrissend drankje op het gezelligste plein van Nederland.

15 **Restaurants aan het water**
Geniet van een uitgebreid diner in een van de restaurants aan de Bassinkade.

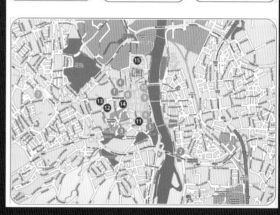

>> BEST PRACTICE TIPS

- Schroef klantloyaliteit op door ook in de 'gebruiksfase' je klant te helpen het optimale uit jouw product of dienst te halen.
- Gebruik user generated content voor efficiënte contentproductie en leuke 'inside tips' van échte gebruikers.

Trippende klanten vasthouden

Online klanten staan niet bekend als de loyaalste. Dit is zeker het geval als je geen 'uniek' product aanbiedt. Je krijgt te maken met prijsjagers die voor een paar euro voordeel liever bij je concurrent de volgende koop sluiten. Ben je geen prijsvechter? Dan moet je op zoek naar iets extra's, iets waarmee je je klanten minder prijsgevoelig maakt.

Relatiemarketing via unieke reisgids

HotelSpecials bedient veel stedentrippende Nederlanders. "Een doelgroep die zich bij uitstek laat verleiden door een leuke aanbieding en zich niet al teveel verdiept in wat er in de omgeving te doen is", aldus Remco Hofstede van HotelSpecials. Een stedentripper heeft zelden een reisgids bij de hand. In dat gegeven zag HotelSpecials een kans voor extra klantcontact. Een mogelijkheid om ook na de 'koop' nog service te verlenen en bij te dragen aan een leuke ervaring.

Reviews als input

Een paar dagen voor vertrek mailt HotelSpecials als 'verrassing' 2 A4-tjes in pdf met de belangrijkste highlights van de stad. De inhoud bepaalt HotelSpecials mede op basis van reviews en tips die andere gasten op de site achterlieten. Op deze manier worden ruim 100.000 klanten per jaar gewezen op de picknickmogelijkheden op het Malieveld en de échte Amsterdamse ossenworst. En op het heerlijke 'Mestreechs Blont' (en dan gaat het niet over de dames) in het Zuiden des lands. Als zo'n blontje goed bevalt is de kans groot dat je voor een volgende trip eerst eens kijkt wat HotelSpecials verder te bieden heeft.

Beste Christine van Rossum,

Bedankt voor je aanmelding voor de wachtlijst van www.jolinejolink.com.
Helaas ziet het er naar uit dat het door jou aangevraagde vest niet meer beschikbaar zal zijn.
Toch willen wij je graag een persoonlijke aanbieding doen voor artikelen die minstens zo veelzijdig en comfortabel zijn.
En met je eigen persoonlijke kortingscode **CHRISTINE** ontvang je maar liefst **15% korting!**

De korting is geldig op de complete collectie, maar graag geven wij je enkele vrijblijvende tips.
Het volgende vest is bijvoorbeeld in hetzelfde zachte garen gebreid als het uitverkochte ontwerp.
Bovendien combineert het erg mooi met je zwarte broek van onze vorige collectie:

En deze heerlijke oversized trui/jurk is er een om het hele najaar in te wonen.
Koud zul je het hierin niet hebben:

Klik op een van de afbeeldingen hierboven voor de uitgebreide productinformatie.
Maar zoals gezegd is de korting van toepassing op de complete collectie. Kijk dus gerust rond op www.jolinejolink.com.
En mochten er nog vragen zijn dan hoor ik het graag!

Vriendelijke groet,

Peter Feldbrugge

PS: je persoonlijke kortingscode **CHRISTINE** vul je in de winkelmand in en is geldig t/m 30 september 2010. Profiteer dus snel van **15% korting!**

JOLINE JOLINK

De Wittenstraat 109/111 hs
1052 AR Amsterdam
The Netherlands

>> BEST PRACTICE TIPS

- Is een artikel uitverkocht? Laat klanten hun interesse kenbaar maken en creëer zo de kans op toekomstige verkoop.
- Experimenteer met het handmatig samenstellen van gepersonaliseerde e-mails voor een beperkte groep. Als dit succesvol blijkt, kan je beslissen of automatiseren de investering waard is.

Alwetende Peter zorgt voor extra verkoop

Dutch design-ster Joline Jolink lanceerde in 2006 haar eigen modelabel. En als onderneemster van deze tijd hoort daar een knappe webshop bij. Met een zet in de rug van LINDA, Elle én Cosmopolitan gaat het hard met de verkoop, waardoor er wel eens "nee" verkocht moet worden. Om klanten het 'totaalbeeld' van de collectie te kunnen tonen, verwijdert ze deze kledingstukken liever niet van de site. Haar partner Peter (on- en offline marketing) zorgt voor een handige én lucratieve service voor dames die achter het net dreigen te vissen.

De alles-in-een mail

Bij uitverkochte producten kan de teleurgestelde fashionista zich inschrijven op de wachtlijst. Mocht ze de pech hebben dat het artikel niet meer op voorraad komt dan gaat Peter aan de slag. Hij stuurt een e-mail vol persoonlijke aandacht, deskundig advies en daarmee ook slimme verleiding. De dame in kwestie krijgt een op maat gesneden advies voor een vervangend product. Gebaseerd op de gewenste creatie én eerdere aankopen: in dit geval het donkerblauwe vest. Tenslotte trekken Joline en Peter de shopster handig over de streep. Via een eigen, letterlijk 'persoonlijke' code (hier: 'christine'), krijg je nog korting ook. De duidelijk vermelde beperkte houdbaarheid van de code maakt het helemaal af: bijna elke lezeres duikt de webshop in om de alternatieven te bekijken. Peter geeft aan dat dit in 55% van de gevallen tot een verkoop leidt!

Het samenstellen van elk van deze mails zal binnenkort geautomatiseerd worden. Zo kan Peter zijn tijd besteden aan de uitwerking van een nieuw idee. We zijn benieuwd!

>> BEST PRACTICE TIPS

- Stem aanbiedingen af op het gedrag en profiel van de klant. Mits goed aangepakt, leidt dit nagenoeg altijd tot sterke verhoging van doorklik en conversieratio's.
- Let op hoe je aanbiedingen presenteert. In een ingelogde omgeving wordt een persoonlijke aanbieding meer gewaardeerd dan op een 'openbare' plaats.

Etiquetteregels bij behavioral targeting

Een goede verkoper onthoudt je naam, weet wat je eerder bij hem kocht, en is discreet! Je wordt liever niet in een volle slijterij luidkeels aangesproken als degene die voor de 3e keer in een week een doos Lambrusco inlaadt. Maar als de slijter je met een knipoog korting aanbiedt voor doos 4; kom maar door! Voor het online sterk opkomende *behavioral targeting* geldt hetzelfde. Zolang je je aan bepaalde etiquetteregels houdt, blijken op maat gesneden aanbiedingen te werken als een trein.

Richten via homepage en inbox

SNS Bank bepaalt voor elke klant real time persoonlijke aanbiedingen, gebaseerd op een combinatie van klantprofiel en klikgedrag. Op twee manieren krijgt de SNS klant deze aanbiedingen voorgeschoteld.

Om te beginnen in 'de etalage' op de homepage van snsbank.nl, en met succes: de aanbiedingen blijken vele malen effectiever (CTR) dan voorheen. Zoals bij het voorbeeld van de slijter vermeldt SNS Bank niet expliciet dat bijvoorbeeld de aangeboden lening speciaal voor die klant is bedoeld ("omdat u telkens rood staat"). Op de 'open' homepage worden de aanbiedingen getoond zonder de exacte context te benoemen.

De tweede mogelijkheid doet zich voor op verschillende locaties binnen het internetbankieren. Op deze locaties is de klant gericht bezig met zijn bankzaken en kan SNS Bank de klant beter aanspreken. In een persoonlijk bericht blijken klanten te waarderen dat de bank met hen meedenkt.

Arie Koornneef, directeur marketing SNS Bank, geeft aan dat klanten hierdoor een persoonlijkere en betere dienstverlening ervaren. Dit resulteert in hoge doorklikratio's in Mijn SNS en een sterke groei in productverkoop.

Stuur vandaag nog een
Kaartje met Greetz

Beste Tim,

We zien in je kalender dat je nog **3 dag(en)** de tijd hebt om een kaartje te maken. Jouw volgende moment is **Geert-Jan's Verjaardag** op **25-08-2010!** Ga nu naar Greetz en stuur een leuke wenskaart. Indien je al een kaart hebt gemaakt voor dit moment, kun je deze email als niet verzonden beschouwen.

Maak je kaart ▶

✔ **Makkelijk:** voor 18:00 gemaakt, vandaag nog verstuurd
✔ **Mooi:** keus uit meer dan 5.000 kaarten!
✔ **Leuk:** maak je eigen fotokaart helemaal zoals jij 'm wilt

Heb je vragen? Greetz Klantenservice staat altijd voor je klaar. Vul het formulier zo volledig mogelijk in. We beantwoorden je vraag zo snel mogelijk. De klantenservice is ook telefonisch bereikbaar op maandag t/m vrijdag 9:00 tot 18:00 uur via 020 - 560 65 81, lokaal tarief.

Met vriendelijke groet,
Greetz Klantenservice

www.greetz.nl

>> BEST PRACTICE TIPS

- Leent jouw product zich voor periodieke herhaalaankopen, probeer je klanten hier dan proactief aan te herinneren. Geef vergeetachtigheid en concurrentie geen kans.
- Overweeg vanuit een alertfunctie het klantprofiel verder uit te bouwen door af en toe aanvullende vragen te stellen. Let op dat de extra gegevens die je vraagt niet alleen jouw verkoopdoelstellingen dienen, maar ook relevant zijn voor het bieden van extra service en gemak.

Met de groeten van Greetz

Het is een waarheid als een (oude) koe: een nieuwe klant werven kost vele malen meer dan een bestaande behouden. Bij weinig bedrijven ligt de nadruk op het genereren van herhaalaankopen. Greetz heeft hier wel goed over nagedacht. Om te beginnen met het aanstellen van Olivier van Hees als Retentiemanager.

Greetz verkoopt een product dat geknipt is voor herhaalaankoop. Bij een verjaardags- of trouwkaart die je op 20 maart 2011 verstuurt is de kans bijna 100% dat je ook in 2012 weer eenzelfde kaartje post. Vergeetachtigheid en impulsaankopen bij de offline kaartenwinkel zijn Greetz' grootste vijanden. Hiermee rekent zij af via haar kalenderservice.

Handig geheugensteuntje

Bij elke order biedt Greetz aan de datum op te slaan in haar kalenderservice. Zodat Greetz je volgend jaar bijtijds kan attenderen op de verjaardag van je oma of trouwdag van je ouders, en jij wederom de attente jongen kan uithangen. Greetz probeert kalendergebruikers tevens te verleiden vooraf alle momenten op de kalender te plaatsen, zodat je per direct geen risico meer loopt op verongelijkte vrienden en familie. En zo krijgt Greetz mooi zicht op jouw potentiële kaartmomenten voor de toekomst.

Ongeveer 15% van de orders blijkt via de kalender te lopen. Doorklikkers vanuit de herinneringsmail (15% van de ontvangers) kennen een conversie van 50%. Daar mag een Retentiemanager in de competitieve kaartenmarkt tevreden over zijn.

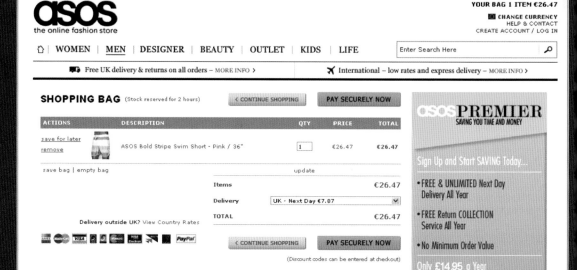

>> BEST PRACTICE TIPS

- Experimenteer eens met het schrappen of reduceren van bezorgkosten, dit is een van de hoofd-afhaakredenen voor online shoppers. Bekijk of de extra omzet opweegt tegen de gedorven inkomsten op bezorgkosten.
- Introduceer je een lidmaatschap? Begin met een tijdelijke actieprijs. Dat oogt aantrekkelijker, maar geeft je ook de vrijheid om de prijs te verhogen als blijkt dat leden je meer kosten dan gedacht.

All-you-can-order voor maar 15 pond

Voor een vaste prijs jezelf te buiten mogen gaan is een droom! Onbeperkt spareribs voor 15 euro of all-inclusive verblijven in Turkije: het maakt een onweerstaanbare hebberigheid in ons wakker. En klanten hebberig maken is het hoogste doel voor elke webwinkelier.

De hippe Engelse kledingwinkel Asos.com heeft de online variant op het hebberigmakende all-inclusive concept bedacht: 'Asos Premier'. Voor 25 (tijdelijk 15) pond per jaar mag je onder meer ongelimiteerd bestellen zonder bezorgkosten. De bestelkosten blijken namelijk de grootste rem voor online bestellers: 46% van de shoppers die vanuit de winkelmand afhaakt doet dit vanwege de bezorgkosten (Econsultancy, 2010).

De rem er af

Voor klanten met een lidmaatschap is deze belangrijke rem op bestellen verdwenen. De natuurlijke reactie op de aanschaf van het recht op onbeperkt gebruik doet de rest: je wilt je geld er wel uithalen! Vandaar dat je bij elke zoektocht naar een nieuwe outfit in ieder geval eerst de site van Asos checkt. En uit zichzelf terugkerende bezoekers besparen Asos online marketingkosten, bijvoorbeeld voor het adverteren op zoekmachines.

Asos haalde in het jaar van introductie klinkende resultaten die volgens eigen zeggen voor een belangrijk deel aan deze nieuwe service zijn toe te schrijven. De groep 'actieve klanten' steeg met 25% naar 1,6 miljoen, de bestelfrequentie ging omhoog en de gemiddelde ordergrootte steeg met 11%.

>> BEST PRACTICE TIPS

- Overweeg je aan te sluiten bij een bestaand spaarsysteem.
- Let op hoe je het voordeel voor de deelnemers presenteert. Te prominente plaatsing kan teleurstellend werken voor niet-spaarders en ten koste gaan van de conversie.

transavia.com laat spaarders spenderen

Nederland is een land van trouwe spaarders en kent dus ook legio spaarprogramma's. Aan je trouwe klantenschare kan je je eigen ontwikkelde spaarprogramma aanbieden. Maar je kunt er ook voor kiezen je aan te sluiten bij een bestaand programma als Freebees, Rocks of Air Miles. Voordeel van de laatste optie is dat je in één klap een grote (nieuwe) doelgroep te pakken hebt die per direct zijn opgepotte punten bij jou kan spenderen. Bovendien is het een bekend gegeven dat het bieden van meerdere betaalopties (iDeal, creditcard, op rekening) zorgt voor een hogere conversie. Met een spaarprogramma krijgen klanten er een extra betaalmogelijkheid bij. Eentje die ook psychologisch zijn werk doet: het doet minder pijn gratis punten te spenderen dan zuurverdiende euro's.

Informeren zonder af te schrikken

transavia.com biedt sinds juni 2010 Air Miles als extra betaalmogelijkheid. Over de manier van presenteren is lang nagedacht. transavia.com wil Air Milesspaarders zo vroeg mogelijk in het oriëntatieproces informeren, maar voorkomen dat mensen zonder Air Miles het gevoel hebben serieuze korting mis te lopen. Om die reden vraagt zij bovenaan de resultaatpagina Air Milesspaarders zich bekend te maken door het aanvinken van een checkbox. Pas daarna is te zien welke interessante aanbiedingen transavia.com in petto heeft.

Het resultaat

transavia.com behaalt een hogere conversie sinds de introductie van Air Miles. Nieuwe klanten genereren 54% van de Air Miles boekingen. 8% van de Air Miles boekingen komt uit reactivering van oud-klanten. Via gerichte e-mailcampagnes zal transavia.com haar doelgroepen verder informeren over de mogelijkheden. Denk aan oud klanten, frequent flyers en Air Milesspaarders die niet eerder met transavia.com vlogen.

>> BEST PRACTICE TIPS

- Experimenteer met een serie van e-mails die op elkaar voortborduren en elkaar versterken.
- Je kunt een serie e-mails opstellen rond feestdagen, maar je ook richten op bijzondere momenten van je klanten, zoals het lopen van een marathon of het krijgen van een kind.

Een samenhangende e-mailmarketing campagne

Icebreaker (de Perry Sport van Nieuw Zeeland) is terughoudend als het op e-mailmarketing aankomt. Een paar keer per jaar stelt zij haar klanten op de hoogte van de nieuwe collectie, en dat is het dan wel. Maar in de laatste kerstperiode is ze los gegaan. In 4 weken tijd is een serie van 11 e-mails verstuurd naar klanten, gericht op het kopen van kerstkado's voor familie en vrienden. De campagne is slim uitgedacht. De eerste e-mails zijn vooral gericht op kadothema's als 'Give Green' (voor de natuurliefhebbers) en 'It's Hot!' (met best beoordeelde producten). De klant heeft dan nog voldoende tijd om het perfecte kado te vinden. Gemiddeld opent 25% deze e-mails en klikt 7% van deze lezers door.

Hurry-up marketing
Na verloop van tijd begint de tijd te dringen en vervangt Icebreaker de thema-mails voor een dwingender boodschap als 'Still don't have a gift for a loved one?'. Vijf dagen voor Kerst krijgt de ontvanger een laatste kans: als je het kado vandaag bestelt, dan garandeert Icebreaker nog een tijdige (en gratis!) bezorging. Deze last-minute e-mails worden toch nog door zo'n 20% geopend, en genereren een doorklikratio van ongeveer 4%.

Campagneresultaat
De dag na Kerst, in Nieuw Zeeland beter bekend als Boxing day (uitverkoop), sluit Icebreaker de campagne af met 'Did the holidays leave you wanting more?'. Ook deze e-mail blijkt een succes. In totaal weet Icebreaker in het Kerstseizoen 32% meer te verkopen dan in het voorgaande jaar, waarvan 58% direct is toe te schrijven aan de campagne.

>> BEST PRACTICE TIPS

- Ben je offline aanwezig? Bekijk of klanten Facebook Places of Foursquare gebruiken en hoe jouw locatie genoteerd staat. Corrigeer eventuele fouten in je bedrijfsnaam en adres, en voeg eventueel een leuke tekst (tip) toe.
- Roep offline bezoekers via een sticker op de winkelruit of kassa op om online 'in te checken': elke check-in is gratis reclame binnen het sociale netwerk van jouw klant.
- Overweeg trouwe bezoekers te belonen met korting of een ludiek cadeautje.

Terugkerend bezoek online belonen

Het verschijnsel 'locatiegebaseerde diensten' ontwikkelt zich in rap tempo. Op het moment dat je dit leest heeft Facebook ook in Nederland 'Places' uitgerold. Een handige tool voor iedereen die wil weten waar zijn vrienden zijn, wat ze daar doen en wat ze van de locatie vinden. Mogelijk gemaakt doordat een steeds groter groeiende groep mensen mobiel internet in de binnenzak heeft zitten. Op het moment van schrijven is Foursquare de populairste locatiegebaseerde dienst. En de Amerikaanse vrouwenkledingketen Ann Taylor een partij die als een van de eersten de marketingmogelijkheden hiervan inziet.

Taylormade marketing

Ann Taylor heeft een mooie loyaliteitscampagne opgezet voor trouwe klanten in New York. Bij het 5^e bezoek aan een filiaal en check-in op Foursquare krijgt de shopster een boodschap te zien: *'show your mobile device at the register to receive 15% off your full-price purchase'*. De klant die het vaakst heeft ingecheckt (en daarmee in Foursquare tot 'burgemeester' van de locatie is benoemd) ontvangt zelfs 25% korting bij elke aankoop.

Indien de actie succesvol is rolt Ann Taylor het programma uit over al haar filialen. Feit is dat Ann in ieder geval een hoop positieve *buzz* genereert met deze actie. Elke check-in vormt voor Ann Taylor gratis reclame binnen de vriendengroep van de klant. Foursquare biedt al langer de mogelijkheid voor dergelijke acties, maar nog weinig ketens doen hier aan mee.

>> BEST PRACTICE TIPS

- Social media kunnen helpen het callcenter te verlichten, vooral in tijden van drukte.
- Bovendien percipieert de klant wachttijd op een Facebook- of Twitterbericht anders dan wachttijd aan de telefoon.
- Communiceer op een persoonlijke manier. Een bericht op Facebook of Twitter verdient een andere *tone of voice* dan een persbericht.
- Grootste irritatie in een crisis is het gebrek aan informatie, leidend tot onzekerheid. Speel hier op in.

Crisiscommunicatie via social media

De Eyjafjallajökull zegt u nu waarschijnlijk niets meer. Maar deze vulkaan uit IJsland hield de luchtvaart in april 2010 wekenlang in haar greep. In deze crisis heeft vooral KLM zich van haar beste kant laten zien. En omdat een crisis zich bij elke onderneming voor kan doen (van olielek bij BP tot terughaalactie bij Toyota) is het interessant te zien hoe KLM de zaken aanpakte.

Facebook redt het callcenter

"Tijdens de aswolk-crisis liep de druk bij het callcenter snel op" aldus Martijn van der Zee van KLM. "Vooral omdat gestrande reizigers door de onzekerheid over de duur van de crisis dagelijks contact met ons zochten." Het bleek fysiek onmogelijk het callcenter bereikbaar te houden. KLM's Twitteraccount en Facebookpagina, die tot dat moment een sluimerend bestaan leidden, boden uitkomst. Reizigers werden via deze kanalen meerdere malen per dag op de hoogte gehouden van de ontwikkelingen.

Binnen KLM werd in allerijl een team vrijwilligers geworven. Dit tijdelijke 'social media crisisteam' heeft in ploegendiensten 24/7 gereageerd op individuele digitale hulpkreten. Op social media kreeg KLM enorm veel positieve reacties op deze service. Dit werd opgepikt door andere reizigers, die hiermee het vertrouwen hadden hun 'probleem' op Facebook te plaatsen, lekker op het strand te gaan liggen en een paar uur later KLM's reactie te bekijken. Een stuk prettiger wachten dan aan de telefoon. En het verlichtte het callcenter enorm.

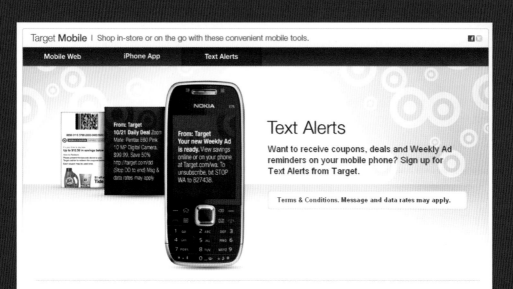

>> BEST PRACTICE TIPS

- Ben je ook offline aanwezig? Bekijk of online coupons kunnen bijdragen aan het genereren van offline sales.
- Meet het gebruik van de online coupons. Als je ook printcoupons aanbiedt, zorg dan dat deze niet dezelfde codes hebben.

Pimp your coupon

Amerika is het land van de coupon. Menig gezin zit zaterdagmorgen aan de keukentafel bonnetjes uit te knippen, om vervolgens de ronde langs Wal-Mart, Target en Home Depot te maken. Maar ook in Nederland zijn tussen de dagelijkse folders heel wat kortingsbonnen te vinden. Deze goede oude kortingsbon heeft er een hip digitaal broertje bij gekregen. Deze voegt een aantal extra mogelijkheden toe aan zijn papieren evenknie. Zo is de bon sneller in te zetten en ook real time aan te passen. Deze kan afhankelijk zijn van de locatie van de gebruiker.

Voor online retailers die ook offline aanwezig zijn vormen mobiele coupons een mooie marketingtool. Je kunt je online klanten verleiden ook eens een bezoek te brengen aan je offline winkel. Bovendien kan je aan de bon een unieke code meegeven om de offline gerealiseerde verkoop toe te schrijven aan specifieke (online) campagnes.

Targets' targeting
Target heeft 1 webshop maar ook 1.500 winkels. De webshop heeft als doel online én offline verkopen te genereren. Om de winkelverkoop te stimuleren heeft Target een uitgebreid couponprogramma opgetuigd. De 'niet-mobielen' kunnen vanaf de site een hele serie coupons printen. Maar Target maakt het de mobielen helemaal gemakkelijk: indien gewenst krijgen zij een sms-alert op het moment dat nieuwe *'Daily Deals'* of *'Weekly Ads'* beschikbaar zijn. Via een directe link naar de mobiele site kan de Targetklant door de aanbiedingen grasduinen. Alleen producten die bij het dichtstbijzijnde filiaal verkrijgbaar zijn worden getoond. In de winkel zelf hoeft de klant enkel zijn mobieltje met in het scherm de barcode langs de scanner te halen en de korting is binnen.

Dankwoord

Wij zijn de volgende personen meer dan dankbaar voor hun bijdrage:

Bart ter Steege
Eric van Houwelingen (wehkamp.nl), Saskia Geesing (CCCP), Luc Schamhart (Microsoft).

Geert-Jan Smits
Wouter van der Hucht & Wouter Theijsmeijer (eMatters), Wouter Blok (EasyToBook.com), Jeroen Ligthart (Clansman), Erik-Jan van den Burg (OMG/Mailmedia), Rogier Beerends (.bone), Martin Huijbregts (Yourzine), Stephanie Muller (eFocus), Tim Tegel (WebAds), Yoteng Pat (Zanox), Gijs Bodenstaff (Linkbuilding Specialist), Nicole Olde Kalter (Gladior), Dirk Jan Koekkoek (eFuture).

Geert Jan Grimberg
Mark Roex (Shoeby), Bart Schutz (Online Dialogue), Ton Wesseling (Online Dialogue), Martijn Jansen (Exact), Sander Munsterman (XS2theWorld), Jelle Bos (FC Twente), Pim Michels (Spreadshirt), Jorrit de Groot (Bijenkorf), Willem van der Weide (Crossmediafix).

Tim Besselink
Remco Hofstede (HotelSpecials), Peter Feldbrugge (Joline Jolink), Paul Montagne (GroupDeal), Olivier van Hees & Niek Veendrick (Greetz), Martijn van der Zee (KLM), Arthur Hoogeveen (Info.nl), Harm van Hees & Niki van Wijk (Transavia), Martijn van Griensven (SNS Bank`).

Door jullie input en inspirerende verhalen werden de cases zo concreet en hebben we cijfers en resultaten kunnen toevoegen. Volgend jaar weer?

Namens het Finest Fifty Team, *Tim Besselink, Geert Jan Grimberg, Mariëlle Heijmans, Geert-Jan Smits, Bart ter Steege & Joost Steins Bisschop*

REACH OVERZICHT

ATTRACT OVERZICHT

Pagina	Website	Onderwerp	Toelichting
48	**Nu.nl**	Online advertising	*Succesvol adverteren in Apps*
50	**Spazuiver.nl**	E-mailmarketing	*Effect van social media op e-mailmarketing*
52	**Styleyourwindow.co.uk**	Actie marketing	*Bereik vergroten en gekwalificeerde leads*
54	**Kortingkaartjes.nl**	E-mail gathering	*Opbouwen van e-mailnieuwsbrief abonnees*
56	**Happybee.nl**	E-mail gathering	*Verzamelen nieuwsbriefinschrijvingen en profielen*
58	**Goseethedealer.nl**	Online advertising	*Dynamische XML-banners inzetten voor verkoop*
60	**Neutral.nl/parfuminderen**	Webvertising	*Crossmediale inzet zorgt voor synergie*
62	**Hetoranjespandoek.nl**	Viral marketing	*Enorm bereik halen met viral marketing*
64	**Thuisinglas.nl**	Search Engine Advertising	*Succesvol Adwords en landing pages inzetten*
66	**Budgetair.nl**	Affiliate marketing	*Succesvol gebruik maken van affiliate marketing*
68	**Polyvore.com**	Functional Affiliate marketing	*Lead generatie door moodboard-tool Polyvore*
70	**Olliewood.nl**	Link building	*35% meer bezoek door linkbuilding*
72	**Easytobook.com**	Re-targeting	*Relevante aanbiedingen per e-mail met re-targeting*

CONVERT OVERZICHT

RETAIN OVERZICHT

De Internet Scorecard 2.0 - realiseer je online strategie

De Internet Scorecard biedt je een stevig hulpmiddel om de effectiviteit en winstgevendheid van online activiteiten te meten en te verbeteren. Centraal staat de internetstrategie van de onderneming. Het boek biedt een handleiding voor iedereen die bezig is met online activiteiten en het rendement op internetinvesteringen wenst te vergroten. Met als doel het realiseren van de bedrijfsdoelstellingen.

In deze tweede editie besteden de auteurs aandacht aan nieuwe trends, nieuwe indicatoren en praktijkvoorbeelden. De beschreven methode bekijkt de internetoperatie vanuit vier perspectieven: financieel, de klant, de online presence zelf en de organisatie achter het web. De Internet Scorecard is toepasbaar op alle typen websites: informatieve en verkoopgerichte sites en websites met een branding- of uitgeefmodel.

Het boek bevat tevens zeven vernieuwende interviews met verantwoordelijken van bol.com, eMarketer, Fabchannel.com, Future Now, Inc., KLM, TomTom en Wall Street Journal.

Met de Internet Scorecard krijg je:

* focus op de belangrijkste strategische issues
* heldere en meetbare online doelstellingen
* realistische targets
* realisatie van bedrijfsdoelstellingen door waardevolle verbeteracties
* maximaal rendement op internetinvesteringen.

Bijzonder geslaagd boek over internet in brede zin. Een aanrader! **Emerce**

De belangrijkste merite van het boek is dat de auteurs internet in een brede strategische context weten te plaatsen. Daar zijn tot nu toe bijzonder weinig auteurs in geslaagd. **Tijdschrift voor Marketing**

Bestel nu op Jungleminds.nl